사변인석기념총서 19

빅데이터 분석을 위한 딥러닝의 이해

Understanding
Deep Learning for Data Mining

변해원 지음

변해원

아주대학교 의과대학 예방의학교실에서 치매 고위험군 예측을 주제로 이학박사(DrSc)를 취득하였고, 현재 인제대학교 메디컬 빅데이터학과 / BK21 대학원 디지털항노화헬스케어학과 교수 및 인제대학교 부속 보건의료 빅데이터 연구소 센터장으로 재직하고 있다. 2010년부터 2023년까지 International Psychogeriatrics 등 국내외 저명 학술지에 400여 편의 논문을 발표하였고, 파킨슨 치매 중등도 예측장치 등 100여 건의 지식재산(특허)을 발명하였다. 또한, 스위스 뇌과학회 학술대회, 일본 국제융합과학학술대회 등 다수의 국내외 학술상을 수상하였다. SCIE급 저널인 세계정신과학에서 편집위원으로 활동하고 있으며, 2019년부터는 한국연구재단에서 주관하는 일반인 대상 과학강연인 '토요과학강연회의 강연자로 참여하고 있다. 저서로는 「노년기 건강 습관과 치매」 등이 있다.

빅데이터 분석을 위한 딥러닝의 이해

지은이 변해원 (인제대학교 교수 / 인제대학교 부속 보건의료 빅데이터 연구소 센터장)

발 행 2024년 03월 5일
펴낸이 한건희
펴낸곳 ㈜ BOOKK
출판사등록 2014.07.15.(제2014-16호)
주 소 서울특별시 금천구 가산디지털1로 119 SK트윈타워 A동 305호
전 화 1670-8316
이메일 info@bookk.co.kr

ISBN 979-11-410-7503-3

값 21,500원

www.bookk.co.kr

빅데이터 분석을 위한 딥러닝의 이해

Understanding Deep Learning for Data Mining

변해원 (인제대학교 교수 /
인제대학교 부속 보건의료 빅데이터 연구소 센터장)

BOOKK

차 례

들어가며

컴퓨터 공학의 발전은 인류의 지식과 기술의 진보에 있어 중요한 역할을 해왔습니다. 특히, 머신 러닝과 인공지능 분야는 지난 수십 년간 눈부신 발전을 이루며, 우리의 일상생활과 산업 전반에 깊숙이 자리 잡았습니다. 이 책은 컴퓨터 공학의 한 분야인 머신 러닝에 대한 학술적 탐구와 실증 연구의 집대성을 목표로 합니다. 특히, 데이터의 표현 방식이 머신 러닝 알고리즘의 효율성에 미치는 영향에 대한 깊이 있는 분석을 제공합니다.

지난 20년간의 연구를 통해, 데이터의 표현 방식이 알고리즘의 성능에 결정적인 영향을 미친다는 사실이 명확해졌습니다. 이는 데이터 준비, 특징 추출, 그리고 데이터 처리와 같은 과정이 알고리즘의 성공에 있어 필수적임을 의미합니다. 그러나 이러한 과정은 상당한 인적 노력을 요구하며, 현재의 학습 알고리즘들이 가진 한계를 드러냅니다. 이 책에서는 피처 엔지니어링과 피처 학습의 중요성을 강조하며, 이를 통해 머신 러닝 알고리즘의 효율성을 극대화하는 방법을 탐구합니다.

인공지능의 발전은 인간의 지능을 모방하여, 낮은 수준의 감각 입력에서 숨겨진 설명 요인을 해석할 수 있는 능력을 필요로 합니다. 이 책은 이러한 과제를 해결하기 위한 최첨단 솔루션을 제공하며, 피처 엔지니어링과 피처 학습을 결합하는 방법의 유용성을 탐구합니다. 복잡한 기능을 추가로 학습하는 것은 이 목표를 달성하는 가장 간단한 방법 중 하나입니다. 이러한 접근 방식은 머신 러닝을 더 다양한 애플리케이션에 적용할 수 있게 하며, 그 가치를 높일 수 있습니다.

또한, 이 책에서는 딥러닝과 같은 방법으로 학습할 수 있는 비선형적이고 추상적인 데이터의 표현에 중점을 둡니다. 딥 아키텍처는 여러 겹의 표현 단계로 구성되며, 이는 프로젝트의 요구사항에 따라 조정될 수 있습니다. 이러한 접근 방식은 데이터의 복잡성을 충분히 반영하며, 고정된 일반 로컬 응답 커널을 사용하는 커널 머신과 같은 비파라메트릭 학습기에서 적응성을 찾는데 중요한 역할을 합니다.

이 책은 최신 연구 결과를 바탕으로, 미래의 중요한 미해결 질문을 탐구합니다. 이는 표현 학습, 밀도 추정, 다양체 간의 기하학적 관계 탐구와 같은 주제를 포함합니다. 또한, AI 태스크에서 현재의 고급 머신 러닝 알고리즘으로 해결하기 어려운 문제를 소개하며, 이를 해결하기 위한 새로운 방법론을 제안합니다.

이 책을 통해 독자들은 머신 러닝과 인공지능 분야의 최신 연구 동향을 이해하고, 이 분야의 미래 발전 방향에 대한 통찰력을 얻을 수 있을 것입니다. 우리는 이 책이 학계와 산업계 모두에 유용한 자료가 되기를 바랍니다.

마지막으로, 이 책을 완성하기까지 준비하는 데 많은 노력을 기울여 준 표지 디자이너 김윤지 선생님과 인제대학교 대학원 빈선재 선생님께 진심으로 감사를 표합니다. 마지막으로, 이 책을 출간하기 위해 모든 노력을 기울여 준 출판사에 감사를 표합니다.

1장. 소개

1.1 소개

지난 20년간 다양한 실증 연구를 통해서 많은 전문가들은 데이터의 표현 방식이 머신 러닝(Machine Learning) 알고리즘의 작업 수행 효율성에 중요한 역할을 한다는 사실을 확인했습니다. 이는 머신 러닝 알고리즘을 실제로 구현할 때, 특징(feature) 추출, 전처리(preprocessing), 그리고 데이터 변환(data transformation)에 상당한 시간과 자원이 소요된다는 것을 의미합니다. 이러한 과정에는 데이터 준비, 특징 추출, 데이터 처리 등이 포함되며, 이들은 알고리즘이 제대로 기능하기 위해 필수적입니다. 그럼에도 불구하고, 피처 엔지니어링(feature engineering)은 상당한 인적 노력을 필요로 합니다. 이는 현재 사용되는 학습 알고리즘의 한계를 드러내며, 현재 사용 가능한 데이터에서 모든 관련 특성을 추출하는 데 한계가 있음을 보여줍니다.

이는 현재 학습 방식의 어려움을 나타냅니다. 이러한 한계를 극복하기 위한 방법으로, 피처 엔지니어링이 제안되었는데, 이는 인간의 지능을 사전 정보와 결합하여 사용하는 것입니다. 혁신적인 애플리케이션을 신속하게 개발하고 인공지능(AI)의 발전을 이루기 위해서는 학습 알고리즘이 피처 엔지니어링에 덜 의존하게 하는 것이 바람직합니다. 이는 머신러닝을 더 다양한 애플리케이션에 적용할 수 있게 하며, 머신러닝의 가치를 높일 수 있습니다.

인공지능은 인간이 살고 있는 환경에 대한 기본적인 이해를 필요로 하며, 이는 학습자가 낮은 수준의 감각 입력에서 숨겨진 설명 요인을 해석할 수 있을 때 달성됩니다. 현실 세계의 실제 상황에 적용 가능한 최첨단 솔루션을 얻기 위해서는 피처 엔지니어링과 피처 학습(feature learning)을 결합하는 것이 유용합니다. 기본적인 기능 외에 복잡한 기능을 추가로 학습하는 것은 이 목표를 달성하는 가장 간단한 방법 중 하나입니다. 이러한 특징 학습은 분류기나 다른 예측 모델을 개발하는 과정에서 데이터의 표현과 변환을 찾는 데 사용됩니다. 관찰된 입력에 대한 기본 설명 변수의 사후 분포를 현실적으로 설명하는 것은 주어진 데이터를 잘 표현하는 확률론적 모델의 특징입니다. 이 장에서는 딥러닝(Deep Learning)과 같은 방법으로 학습할 수 있는 덜 선형적이고 더 추상적인 표현에 중점을 둡니다. 딥 아키텍처(Deep Architecture)는 여러 겹의 표현 단계로 구성되며, 이 단계의 수는 프로젝트의 요구 사항에 따라 조정될 수 있습니다.

이 챕터의 목적은 이전 연구를 보완하고 추가적인 내용을 제공하는 것입니다. 이 글에서는 최신 발견을 살펴보고 미래와 관련된 중요한 미해결 질문을 강조합니다. 또한, 표현 학습, 밀도 추정(density estimation), 다양체(manifold) 간의 기하학적 관계를 탐구하며, 효과적인 표현 학습과 추론을 위한 적절한 목표를 설정합니다. 이 외에도 AI 태스크에서 현재의 고급 머신 러닝 알고리즘으로 해결하기 어려운 문제를 소개합니다.

간단한 모수(파라메트릭) 모델, 예를 들어 선형 모델(Linear Model)만으로는 컴퓨터 비전이나 자연어 처리(Natural Language Processing)와 같은 복잡한 문제를 해결하기에 충분하지 않습니다. 이는 모델이 주제의 복잡성을 충분히 반영하지 못하기 때문입니다. 반면, 머신 러닝 연구자들은 고정된 일반 로컬 응답 커널(예: 가우시안 커널(Gaussian Kernel))을 사용하는 커널 머신(Kernel Machine)과 같은 비파라메트릭 학습기에서 적응성을 찾고 있습니다. 이러한 접근법은 대부분 국소 일반화(local generalization)에 의존하며, 이는 목표 함수가 충분히 매끄러울 것이라는 가정에 기반합니다. 평활성(smoothness)은 유용한 가정일 수 있지만, 차원의 저주(curse of dimensionality)라는 문제를 해결하는 만병통치약은 아닙니다. 이는 목표 함수의 주름(변형)이 중요한 상호 작용 요인이나 입력 차원의 수에 따라 기하급수적으로 증가할 수 있기 때문입니다. 따라서 평활성 가정에만 의존하지 않는 학습 방법이 필요합니다. 이미 존재하는 표현 위에 선형 모델이나 커널 머신을 구축하는 것은 종종 좋은 결과를 가져옵니다. 커널 머신은 많은 잠재력을 가지고 있지만, 적절한 유사도 측정이나 허용 가능한 고급 유사도 측정 없이는 효과적으로 활용하기 어렵습니다. 데이터는 가장 바람직한 품질을 결정하는 데 중요한 역할을 합니다. 그러나 커널 머신을 최대한 활용하기 위해서는 먼저 충분한 유사도 메트릭을 설정해야 합니다.

이제 우리는 다양한 학습 프레임워크에 통합될 수 있는 핵심 요소인 '표현 학습(Representation Learning)'에 대해 살펴보겠습니다. 가장 인상적인 특징은 바로 '표현력(expressiveness)'인데, 이는 충분히 방대한 학습된 표현이 다양한 입력 형태를 나타낼 수 있다는 것을 의미합니다. 예를 들어, 표준 클러스터링 알고리즘으로 생성된 단일한 표현 대신 다중 클러스터링 기법(Multi-Clustering Techniques)을 채택함으로써, 여러 클러스터링이 동시에 수행되거나 여러 입력 데이터 인스턴스에 대해 단일 클러스터링이 적용될 수 있습니다. 객체를 식별하기 위한 계층적 특징 추출 방법론(Hierarchical Feature Extraction Methodologies)의 사용은 이 분야의 일반적인 사례입니다.

이 방법은 히스토그램을 활용해 다양한 부분에서 발견되는 클러스터 유형을 결정하므로 앞서 언급한 표현 학습 개념의 응용으로 볼 수 있습니다.

입력 데이터에 대한 클러스터 크기의 히스토그램은 계층적 특징 추출의 근간으로 활용되며, 객체 식별 과정에 중요한 역할을 합니다. 각 매개변수(예: 스파스 코드(Sparse Codes)의 한 단위

혹은 제한 볼츠만 기계(Restricted Boltzmann Machine, RBM)의 한 단위)는 분산 표현(Distributed Representation) 또는 스파스 표현(Sparse Representation)을 통해 획득되는 표현력의 예시입니다. 이러한 매개변수들은 단순히 서로 인접한 이웃을 나타내는 것이 아니라, 많은 예에서 재사용될 수 있습니다. 이 두 표현 방식은 국소적 접근방식(Localized Approach)에 비해 기하급수적인 이득을 제공합니다. 왜냐하면, 예를 들어 단일 데이터를 사용하여 분산 표현을 활성화할 경우, 다양한 특징의 하위 집합이나 이전에 숨겨져 있던 단위가 활성화될 가능성이 있기 때문입니다. 이는 단일 기능만을 활성화하는 데이터에서도 발생합니다.

이는 정보가 다양한 표현을 통해 분산 방식으로 저장되기 때문입니다. 단일 레이어를 가진 모델에서는 각 피처(feature)가 선호하는 입력 방향을 가지며, 이는 일반적으로 입력 공간의 하이퍼플레인(hyperplane)에 해당합니다. 특정 입력에 관련된 활성화 패턴은 해당 입력이 어떤 측면에 반응하는지와 그 반응의 정도에 대해 설명해줍니다. 대부분의 클러스터링 알고리즘, 예를 들어 K-평균(K-Means),에서 사용되는 비분산 표현

(Non-Distributed Representation)과 비교했을 때, 분산 표현은 더 정확한 예측을 가능하게 합니다. 이는 비분산 표현이 정보를 저장하는 방식이기 때문입니다. 이 형식의 특성상 단일 입력 벡터를 표현하기 위해서는 오직 한 가지 코드만을 사용할 수 있습니다.

이 방법은 제한된 잠재적 클러스터 센터 풀(pool) 중에서 입력을 가장 정확하게 표현하는 후보를 선택합니다. 각 입력이 트리의 잎에 걸쳐 원-핫 코드(one-hot code)로 연결되어, 관련 조상(루트에서 노드까지의 경로)을 결정론적으로 선택하는 의사 결정 트리(decision tree)를 사용하는 것이 이 문제를 해결하는 가장 간단한 방법으로 보입니다. 나무의 잎의 수와는 달리, 표현되는 영역의 수는 사용되는 특성의 수에 비례하여 기하급수적으로 증가하지 않습니다. 이는 바람직한 상황입니다. 딥러닝은 여러 계층의 표현을 생성하거나 특성을 구분하는 계층적 구조를 학습하는 것을 포함합니다.

분산 표현(distributed representation)의 힘을 이해하는 것은 딥러닝이 제공하는 가장 중요한 이론적 이점 중 하나입니다. 재

사용(reusability)은 분산 표현의 복원력(resilience)에 대한 설명을 제공합니다.

재사용 가능한 분산 표현은 높은 수준의 내구성을 가집니다. 이전 표현을 재사용할 수 있기 때문에, 분산 표현은 특히 강력한 표현 유형입니다. 이러한 배경을 이해하면 분산 표현의 복원력을 더 잘 이해할 수 있습니다.

회로의 깊이(circuit depth)는 회로의 입력 노드에서 출력 노드까지의 가장 긴 경로의 길이로 결정됩니다. 이 구분은 존재하는 회로 노드의 수로 표현됩니다. 각 노드에서 수행할 수 있는 계산의 정의를 수정하여 주어진 회로의 깊이를 변경할 수 있지만, 이러한 변경은 미리 정해진 계수에 의해서만 가능합니다. 회로 깊이는 설정된 값이므로 변경할 수 없습니다. 단일 노드에서 수행할 수 있는 계산의 예로는 가중치 합, 곱, 인공 뉴런 모델(예: 아핀 변환(affine transformation) 위의 모노톤 비선형성(monotonic nonlinearity), 커널 계산, 논리 게이트 등이 있습니다.

이론적 연구에 따르면, 특정 함수 클래스는 허용 가능한 수준의 깊이를 가진 표현으로 상당히 성공적일 수 있음이 입증되었습니다. 동일한 함수군을 더 적은 수의 매개변수(더 낮은 VC 차원으로)로 표현할 수 있다면, 계산 효율성과 통계적 효율성 모두에서 이점이 있을 것입니다. 학습 이론에 따르면, 이는 더 적은 수의 예제로도 학습할 수 있다는 것을 의미합니다. 이 시나리오에서는 VC 차원이 증가하기보다는 오히려 감소할 수 있습니다. 라벨이 지정되지 않은 샘플에 대한 특징 학습과 딥러닝은 이들에게 유리한 결정적인 근거가 됩니다.

이는 입력 분포 자체에서 눈에 띄는 예측할 클래스나 기타 요소와 관련이 있는 경우에 해당합니다. 이는 특징 학습과 딥러닝을 지지하는 중요한 논거입니다. 이는 기존의 머신러닝 접근 방식과 비교할 때, 딥러닝과 특징 학습이 제공하는 주요 이점 중 하나입니다. 이는 뚜렷한 클래스 다양체가 밀도가 낮은 영역으로 명확하게 구분되며, 이러한 저차원 영역이 자연 클래스 및 인간이 연구하고자 하는 기타 고차원 개념과 관련 있다는 사실로 설명됩니다.

다양체 가설에 따르면, 사람들이 관심을 가지는 자연 클래스 및 기타 고차원 개념은 입력 공간의 저차원 영역인 다양체와 연결됩니다. 이로 인해 특징 학습과 딥러닝은 비지도 학습의 원리와 밀접하게 연관되어 있으며, 반지도 학습 환경과 전이 학습 및 다중 작업 환경에서도 유용하게 사용될 수 있습니다.

비지도 학습은 딥러닝과 특징 학습의 기초를 형성합니다. 이러한 학습 방법은 여러 유형의 수업이나 활동에 공통적인 기본 구성 요소를 인식하고 구별하는 데 목적이 있으며, 이를 다양한 환경과 상황에 적용할 수 있습니다. 2006년은 특징 학습과 딥러닝 영역에서 주목할 만한 발전이 이루어진 해였습니다.

우리는 한 단계씩 특징의 계층을 학습하는 데에 초점을 맞춘 '그리디 레이어-와이즈 비지도 사전 학습(Greedy Layer-Wise Unsupervised Pre-training)'을 통해, 비지도 특징 학습을 활용하여 각 계층에서 새로운 변환을 학습하고 이미 학습된 변환들과 결합하는 것을 주요 원칙으로 삼았습니다. 이는 전통적인 심층 신경망에서 가중치를 순차적으로 추가하는 가장 기본적인 비지도 특징 학습 형태로 간주됩니다. 이러한 접근법은 '계층별 비지도 사전 학습(Greedy Layer-Wise Unsupervised Pre-training)'이라고 불리우는데, 이는 신경망 분류기와 같은 심층 지도 예측 모델(Deep Supervised Predictive Models) 또는 심층 볼츠만 머신(Deep Boltzmann Machines)과 같은 심층 생성 모델(Deep Generative Models)에 사용될 수 있는 계층화된 아키텍처(Hierarchical Architecture)를 의미합니다.

이 두 종류의 모델은 모두 '딥 러닝(Deep Learning)'이라는 개념의 구현체로 볼 수 있으며, 심층 생성 모델로 분류됩니다. 이 장에서는 목표 달성을 위해 서로 겹쳐서 사용될 수 있는 여러 특징 학습 알고리즘을 살펴보고, 경험적 연구를 통해 특징 추출의 층을 쌓음으로써 표현력을 크게 향상시킬 수 있다는 점을 확인할 수 있습니다. 예를 들어, Salakhutdinov와 Hinton(2009a)에 의해 제시된 확률론적 모델로 생성된 샘플의 품질이나, Larochelle 외(2009b), Erhan 외(2010b)에 의해 평가된 학습된 특징의 불변성(Invariance) 품질은 평가의 대상이 될 수 있습니다.

특징 추출을 위한 접근 방식으로 '주성분 분석(Principal Component Analysis, PCA)'을 고려할 수 있습니다. PCA에서는 각 특징, 또는 'h'의 구성 요소인 'dh'가 서로 상관관계를 가지게 되며, 이는 특징들 간의 상관관계를 나타냅니다. 주성분 분석은 세 가지 관점에서 고려될 수 있는데, 이는 비선형 특징 학습(Nonlinear Feature Learning)의 최근 발전에 기여하였습니다: 학습된 표현은 기본적으로 선형 자동 인코더(Linear Autoencoder)에서 학습된 것과 유사하며, 모델은 입력 공간에서 점선이 나타나는 저차원 영역을 단순한 선형 형태의 매니폴드(Manifold)로 특징화하는 것으로 볼 수 있고, 모델은 확률적 주성분 분석(Probabilistic PCA), 요인 분석(Factor Analysis) 및 전통적인 다변량 가우스 분포(Multivariate Gaussian Distributions)와 같은 확률적 모델과 관련이 있습니다.

선형 연산을 결합하면 또 다른 선형 연산이 발생하기 때문에, 선형 기능의 표현 잠재력은 안타깝게도 제한적입니다. 선형 특성을 결합하여 더 미묘하고 추상적인 표현을 만들려고 해도, 이는 결국 또 다른 선형 과정을 초래할 뿐입니다. 이로 인해 우리는 선형 특성을 더 이상 쌓을 수 없게 됩니다. 이 글에서는 비선형 특성을 추출하기 위해 개발된 최신 알고리즘들을 살펴볼 것입니다. 일부 연구자들은 학습된 단일 레이어 선형 투영 사이에 비선형성을 도입함으로써 심층 신경망에 특성을 계층화하는 방법을 찾고 있습니다. 이 섹션에서는 이러한 최신 방법들을 살펴봅니다.

독립 구성 요소 분석(ICA)은 특징 추출 접근법의 유용한 구성요소이지만, 이 연구에서는 지면 부족으로 인해 자세히 다루지 않습니다. ICA는 기본적으로 선형 특성을 생성하지만, 보다 일반적인 적용에서는 스파스(sparse)와 같은 비가우시안 독립 잠재변수를 가진 선형 생성 모델과 유사하여 비선형 특성을 생성할 수 있습니다. 이는 희소 데이터가 변수가 적은 경향이 있기 때문입니다. ICA는 스파스 모델링 기법의 확장으로 볼 수 있습니다.

따라서 ICA와 독립 부분 공간 분석(IPSA)과 같은 유사한 접근방식은 딥 네트워크를 성공적으로 형성할 수 있는 잠재력을 가지고 있으며, 이전에도 이러한 접근 방식이 효과적이었습니다. 개별 구성 요소를 축적하는 개념은 심층 네트워크를 활용하여 근본적인 설명 특성을 풀어내는 것과 유사합니다. 그러나 실제 세계를 반영하는 복잡한 분포로 작업할 때, 선형 변환은 독립적인 근본 원인과 관찰된 고차원 데이터 사이의 연관성을 효과적으로 표현하기 어렵습니다.

선형 변환은 같은 차원의 두 변수 간의 관계만 특성화할 수 있습니다. 즉, 고차원 데이터를 근본 원인과 연결하는 선형 변환으로 적절하게 정의하는 것은 드문 일입니다. 이 장에서는 가능성을 기반으로 하는 일반적인 확률론적 모델을 자동 인코더 변형과 같은 재구성 기반 모델과 결합할 수 있는 새로운 확률론적 프레임워크를 제공합니다. 이 프레임워크는 저자들이 개발했습니다. 이 새로운 프레임워크를 평가하는 과정에서 두 가지 유형의 모델을 모두 고려할 수 있습니다.

이 장에서는 'JEPADA'라는 혁신적인 설계를 소개합니다. JEPADA는 '매개변수와 데이터의 공동 에너지(Joint Energy of Parameters and Data)'의 약자로, 재구성 기반 모델의 훈련 기준을 데이터와 매개변수를 모두 통합하는 공동 비지향 모델의 에너지 함수와 이 두 요소를 모두 고려하는 파티션 함수로 생각할 수 있습니다. 이 개념은 필자의 세계관에 필수적인 개념입니다.

이 장에서는 독자들이 제기할 수 있는 여러 가지 우려를 다루고 있지만, 모든 우려에 대해 일일이 답할 수는 없습니다. 구체적으로, 어떤 구성 요소들이 표현 학습에 절대적으로 필요한지, 표현 학습 알고리즘의 효과를 어떻게 평가해야 하는지, 자동 인코더 변형 및 예측적 희소분해와 같은 비확률적 특징 학습 절차의 확률적 해석이 가능한지, 그리고 불가능하다면 어떤 다른 옵션이 있는지 등에 대해 논의합니다.

비확률적 특징 학습 알고리즘과 확률적 특징 학습 알고리즘의 장단점, 주성분 분석과 같이 학습된 표현의 차원이 항상 낮아야 하는지, 계산 비용이 증가하더라도 입력을 표현에 매핑하는 방식, 그리고 딥 아키텍처에 표현을 쌓아 올리는 것의 이점과 글로벌 최적화 과정에서 발생하는 문제 등에 대해서도 논의합니다. 또한, 특히 심층적인 표현이 효과적인 이유와 그러한 표현의 깊이에 대해서도 탐구합니다.

언어, 시각, 운동 등 새로운 것을 학습하는 과정에서 인간의 두뇌는 시간이 항상 존재하며 중요한 역할을 합니다. 이는 대부분의 학습과 기억 처리가 뇌에서 이루어지기 때문입니다. 날씨나 음파와 같은 자연 현상의 관찰이든, 주식 시장이나 로봇과 같은 인간이 만든 행동이든, 실제 세계의 데이터는 대부분 시간적 요소를 담고 있습니다. 1970년대부터 과학자들은 시계열 데이터(time-series data)를 분석하는 가장 효율적인 방법을 연구해왔으며, Yang과 Wu(2006)는 시계열 데이터의 독특한 특성 때문에 이를 데이터 마이닝(data mining)의 가장 어려운 주제 중 하나로 보았습니다. 자동 회귀 모델(autoregressive model)과 같은 시계열 모델에서 파라미터의 추정치를 사용해 연속 데이터를 모델링하는 것은 이미 성공적인 방법으로 입증되었습니다.

하지만, 기본 역학의 복잡성과 예측 불가능성 때문에 고차원 데이터(high-dimensional data)의 복잡한 특성을 파악하는 것은 어려움이 있습니다. 분석 방정식(analytic equations)을 사용해 노이즈가 많은 실제 시계열 데이터를 해석할 수 있지만, 이러한 방정식의 본질적인 한계로 인해, 비선형 프로세스(nonlinear processes)를 단순화하는 기존의 얕은 모델(shallow models)로는 복잡한 데이터를 충분히 복제하기 어렵습니다. 이에 대한 해결책으로, 현실 세계의 복잡한 데이터를 모델링하는 데 필요한 미묘한 차이를 포착할 수 있는 강력한 기능을 구축하는 것이 중요합니다. Erhan 등(2010)은 레이블이 없는 데이터(unlabeled data)를 사용하여 특징 표현 계층(feature representation layers)을 훈련하는 방법을 제시하였습니다. 이 방법의 장점은 풍부하고 접근하기 쉬운 레이블이 없는 데이터를 활용할 수 있다는 것과, 수동으로 레이블을 붙이지 않고도 데이터 자체의 품질을 학습할 수 있다는 것입니다. 이러한 장점은 데이터의 복잡한 패턴을 더 잘 설명할 수 있는 심층 네트워크(deep networks)를 형성하는 데 큰 도움이 됩니다.

딥 뉴럴 네트워크(deep neural networks)는 인공지능 분야의 난제를 해결하기 위해 다양한 벤치마크 데이터셋에서 최첨단의 결과를 도출하는데 점점 더 많이 사용되고 있습니다. 그러나 특징 학습 커뮤니티는 대체로 정적 데이터(static data)에 대한 모델을 개발하는 데 집중해왔으며, 이는 시계열 데이터에 비해 평가하기가 수월하기 때문입니다. 이 장에서는 시간적 상관관계(temporal correlations)를 명시적으로 포착하는 데 초점을 맞춘 다양한 특징 학습 기법들을 중점적으로 논의할 것입니다. 또한, 시계열 데이터가 직면한 여러 문제점들을 살펴보고, 이를 해결하기 위해 개발된 방법들을 소개할 것입니다. 다음 장에서는 비지도 특징 학습과 딥러닝에 대해 개괄적으로 다루며, 시계열 데이터를 다룰 때 흔히 발생하는 문제들과 딥러닝을 사용한 이전 연구 결과를 소개할 예정입니다. 마지막으로, 이 섹션에서 우리가 도출한 결론에 대해 토론하겠습니다.

1.2 시계열 데이터의 속성

시간이 흐름에 따라 연속적인 프로세스에서 수집된 데이터 포인트의 집합을 시계열 데이터라고 합니다. 이러한 개별 데이터 포인트 없이는 시계열을 구성할 수 없습니다. 시계열 데이터는 다른 종류의 데이터와 구별되는 특징을 가지고 있으며, 이러한 특징들이 시계열 데이터를 독특하게 만듭니다. 첫째, 시계열 데이터는 종종 높은 복잡성과 많은 양의 노이즈를 포함하고 있습니다. 이는 데이터 수집 방법의 특성상 피할 수 없는 현상입니다. 차원 축소, 웨이블릿 분석 등과 같은 신호 처리 기법을 사용하여 노이즈를 줄이고 차원 수를 감소시킬 수 있습니다. 특징 추출 과정은 다양하며 유익한 결과를 가져올 수 있지만, 이 과정에서 일부 데이터가 손실될 수 있으며, 적절한 특징과 신호 처리 방법을 선택하기 위해서는 데이터에 대한 깊은 이해가 필요합니다.

시계열 데이터가 다른 유형의 데이터와 구별되는 두 번째 특징은 프로세스를 충분히 이해하는 데 필요한 정보가 항상 명확하지 않다는 점입니다. 예를 들어, 여러 센서를 사용하여 특정 냄새를 감지하는 경우, 각 센서가 조금씩 다른 가스에 민감하므로 원하는 냄새를 정확히 감지할 수 있는지 확신하기 어렵습니다. 이는 각 센서가 특정 가스에 대해 선택적으로 반응하는 고유한 방식을 가지고 있기 때문입니다.

Fama(1965)에 따르면, 단일 종목의 분석만으로는 미래를 정확히 예측하기에 충분하지 않습니다. 단일 주식의 연구는 대체로 불완전한 데이터를 제공한다는 통찰을 제공합니다. 이는 단일 주식이 더 넓은 시스템에 미치는 영향을 연구하는 데 한계가 있기 때문입니다. 시계열 연구는 시간적 요소를 중시합니다. 모델은 특정 시점의 x(t) 값을 기반으로 y(t) 값을 예측하지만, 같은 데이터를 사용하여 나중에 다른 예측을 할 수도 있습니다. 모델이 최근에 수집된 과거 데이터 또는 과거에 입력된 데이터를 활용할 수 있는 능력이 중요합니다.

모델의 장기적인 종속성을 고려할 때, 프로세스가 모델에 너무 큰 입력 크기를 제공할 가능성이 높습니다. 또한 시간 종속성이 얼마나 지속될지 명확하지 않을 수 있습니다. 많은 시계열 데이터는 비정상적(non-stationary)이며, 시간이 지남에 따라 데이터의 평균, 분산, 빈도가 변할 수 있습니다. 특정 시계열 데이터를 다룰 때는 시간 영역보다 주파수 영역에서 작업하는 것이 더 효율적일 수 있습니다.

결론적으로, 시계열 데이터의 불변성은 다른 유형의 데이터와 구별됩니다. 컴퓨터 비전과 같은 다양한 상황에서 객체의 이동, 회전, 크기 조정에 관계없이 변하지 않는 속성을 갖는 것이 중요합니다. 대부분의 시계열 특성은 시간 변환에 따라 불변성을 유지하는 데 의존합니다. 시계열 데이터는 그 큰 차원과 복잡성, 개별적인 특성으로 인해 모델링과 평가가 어렵습니다.

연구자들은 시계열 데이터를 표현하고 중요한 정보를 추출하기 위해 차원을 줄이는 방법에 많은 관심을 기울이고 있습니다. 모든 응용 프로그램에서 성공적인 결과를 얻기 위해서는 적절한 표현을 선택하는 것이 중요합니다. 이 글에서 설명하는 특징들은 다른 시계열 문제에서도 일정 부분 관찰될 수 있습니다. 대부분의 경우, 사용되는 모델이나 특징 표현은 이전에 알려진 정보나 가정을 통합합니다. 레이블이 없는 데이터를 활용하여 특징을 '학습'하는 프로세스는 최근 인기를 얻고 있습니다. 이는 수동적인 피처 엔지니어링에 대한 대안입니다. 정적 데이터 세트뿐만 아니라 동적 데이터 세트에 대한 새로운 특징 표현을 학습하는 데에도 비지도 학습이 효과적임이 입증되었습니다. 이 방법은 심층 신경망과 함께 사용하여 더 효과적인 학습 모델을 생성할 수 있습니다. 그러나 시계열 데이터의 특징 학습은 시간적 정보를 고려할 수 있도록 해야 합니다. 이는 데이터를 최대한 활용하기 위한 필수적인 작업입니다.

1.3 비지도 특징 학습과 딥 러닝

이 섹션에서는 비지도 특징 학습(Unsupervised Feature Learning)과 딥 러닝(Deep Learning)에 대해 다룹니다. 여기에는 시간적 관계를 모델링하는 데 사용되는 모델과 방법뿐만 아니라, 비지도 특징 학습을 위해 사용되는 다양한 모델들도 포함됩니다. 비지도 특징 학습의 주요 장점 중 하나는 손쉽게 접근 가능한 방대한 양의 레이블이 없는 데이터(unlabeled data)를 활용할 수 있다는 점입니다. 또한, 이를 통해 새로운 기술을 터득하고 기존 기술과 결합함으로써, 혼자서는 생성할 수 없었던 뛰어난 결과물을 만들어낼 수 있습니다. 이 두 가지 장점을 고려할 때, 데이터 전문 지식에 대한 요구가 줄어들 수 있습니다.

Taylor 등(2010)은 확률론적 최대 풀링(Probabilistic Max-Pooling)을 이용하는 컨볼루셔널 가우시안 제한 볼츠만 기계(Convolutional Gaussian Restricted Boltzmann Machine, GRBM)를 제안했습니다. 연구에서 이들은 컨볼루션(convolution)을 활용하여, 사진 어디에서나 발생할 수 있는 국소적 변화를 효과적으로 다룰 수 있음을 발견했습니다. 이 모든 과정은 학습해야 하는 파라미터의 수를 최소화하면서 이루어집니다. 모델의 정확성을 검증하기 위해서는 시뮬레이션 데이터와 다양한 벤치마크 데이터셋을 사용해야 했는데, 그중 하나가 바로 KTH 활동 인식 데이터셋(KTH Action Recognition Dataset)이었습니다. 이 연구는 시공간적 특징(spatiotemporal features)을 학습하기 위한 비지도 접근법으로 독립 부분 공간 분석(Independent Subspace Analysis, ISA)을 활용하였습니다.

현재 연구되고 있는 방법은 독립 부분 공간 분석이라고 불리며, 주요 변경 사항으로는 풀링(pooling)과 계층적 컨볼루션 계층(Hierarchical Convolutional Layers)을 통합하는 ISA 모듈이 포함됩니다. 인터넷 보안 어플라이언스(Internet Security and Acceleration, ISA)는 대량의 데이터를 적절히 처리하는 데 어려움이 있는데, 컨볼루션과 스태킹(stacking)은 이 문제를 해결하는 데 유용한 방법입니다. 이들은 입력 데이터의 관리가 용이한 부분에 대해 학습을 수행하여 실세계 상황에 적용 가능하게 합니다. KTH 데이터셋은 인증 과정에서 사용되는 여러 벤치마크 중 하나로 활용되었습니다.

여러 장점 중 하나는 RBM(제한된 볼츠만 머신) 기반 모델에서 사용되는 다양한 하이퍼파라미터를 사용자가 직접 조정할 필요가 없다는 점입니다. 하이퍼파라미터에는 학습률(learning rate), 가중치 감쇠(weight decay), 수렴 매개변수

(convergence parameters) 등이 포함됩니다. ISA(독립 서브어레이 분석)를 활용할 때, 사용자는 이러한 이점을 누릴 수 있습니다. 템포럴 풀링(temporal pooling)을 활용한 작업은 비디오에서 시간적 연결을 설명하는 데에도 사용되었습니다. 이러한 연결은 비디오 시청을 통해 관찰될 수 있습니다. 컨볼루션 RBM은 이 연구에서 공간적 풀링(spatial pooling)을 성공적으로 수행할 수 있는 기본 구조 역할을 합니다. 이어서 공간 풀링에 사용된 것과 동일한 단위를 시간적 풀링 과정에도 사용할 것입니다.

이 네트워크는 "시공간 심층 신념 네트워크(Spatio-Temporal Deep Belief Network, ST-DBN)"로 명명되었으며, ST-DBN으로도 약칭됩니다. ST-DBN은 통계적 상호의존성을 유지하면서 시공간적 불변성을 달성할 수 있습니다. 이는 동작 감지 및 비디오 노이즈 제거와 같은 다양한 애플리케이션에서 기존 컨볼루션 DBN보다 우수한 성능을 보여주었습니다. 영화에서 시간적 일관성을 가진 장면을 모델링하려면 정지 사진에서 객체 인식을 향상시키는 학습 기능이 필요합니다. 이는 시간적 L1 비용을 갖는 자동 인코더(autoencoder)를 사용하여 풀링 유닛(pooling unit)에서 달성할 수 있습니다. 이는 시간적 일관성을 최대한 활용하기 위한 것입니다. 또한 이 연구에서는 시간적 정보를 표현 학습의 평가 기준으로 사용합니다.

최근 몇 년 동안 비디오 처리 분야에서는 딥러닝, 특징 학습, 컨볼루션을 사용한 풀링 알고리즘을 통해 상당한 발전이 이루어졌습니다. 딥러닝 알고리즘은 이미 정지 이미지에서 중요한 속성을 추출하는 데 탁월한 것으로 입증되었으므로, 비디오 스트림 모델링에 적용하는 것은 자연스러운 일입니다. 연구자들은 정지 이미지의 성능을 개선하기 위해 시간적 관계를 효과적으로 포착할 수 있는 딥러닝 시스템을 지속적으로 개발해야 합니다. 영화의 시간적 측면을 이해하면 성능이 향상될 수 있습니다. 정적 이미지 대신 동영상을 사용하는 것이 시간적 특성을 학습하는 데 더 효과적입니다. 현재 추세는 영화의 시간적 속성을 분석하는 것으로, 이는 연구의 요구 사항을 주도하고 있습니다.

딥러닝 알고리즘에 비디오 데이터를 처리하는 방법을 가르치는 첫 번째 단계 중 하나는 한 프레임에서 다음 프레임으로의 변화를 모델링하는 것입니다. 템포럴 풀링을 사용하면 모델이 단일 프레임 전환을 넘어서 시간 종속성을 학습할 수 있습니다. 이를 통해 모델은 미래 이벤트를 더 정확하게 예측할 수 있습니다. 그러나 지금까지는 주로 단기간의 프레임 변화에 대해서만 연구가 이루어졌습니다. 장기간의 관찰에서 시간 의존성을 포착할 수 있는 모델을 연구하는 것은 비디오 처리 분야에서 중요한 발전이 될 수 있습니다.

머신러닝 알고리즘의 목적은 방대한 데이터에서 반복되는 구조와 경향을 찾는 것입니다. 가장 기본적인 형태로, 이는 변수 간의 관계를 발견하여 예측에 활용하는 것을 포함합니다. 더 넓은 의미에서, 이는 관측 데이터에서 확률 질량이 최대로 집중된 특정 지점을 찾는 것을 의미합니다. 다양한 학문 분야의 연구자들은 데이터가 표현되는 방식이 학습 시스템이 생성하는 결과에 큰 영향을 미칠 수 있다는 결론에 도달했습니다. 올바른 표현을 찾기 위해 특별히 고안된 학습 알고리즘은 오랜 역사를 가지고 있습니다.

많은 실무자들이 수작업으로 표현을 만드는 데 의존해 왔지만, 학습 알고리즘의 사용은 더 오랜 역사를 가지고 있습니다. 이 책의 이 섹션에서는 표현에 대한 이해를 통일된 원칙으로 삼아 전반적인 구조를 제공합니다. 이 공간에서 명확하게 표현하는 것이 어떤 이점을 가져올 수 있는지, 그리고 설득력 있는 표현을 위해 어떤 특징을 찾아야 하는지에 대해 논의합니다.

적절한 표현을 판단하기 위한 훈련 특징은 무엇일까요? 여기서 X는 입력 변수(input variable)로 간주될 수 있으며, Y는 예측하고자 하는 대상인 레이블(label)로 볼 수 있습니다. 이것은 단지 하나의 관점에 불과합니다. 실제로 이 두 해석은 모두 진실의 일부를 담고 있습니다. (X, Y)의 쌍을 이용하면 지도 학습(supervised learning) 작업을 분석할 수 있습니다. 이 장에서는 표현 학습(representation learning)을 적용하는 동안 관련된 작업에 대한 레이블을 얻을 수 없는 상황을 다룹니다. 이 프로젝트의 목표는 완전히 비지도 방식(unsupervised manner)으로, 혹은 표현과 관련 없는 행동에 대한 레이블을 사용하여, 표현에 관한 지식을 획득하는 것입니다. 때때로 이러한 유형의 학습 환경을 '자기 주도 학습(self-taught learning)'이라고 부르기도 합니다.

그러나 이 개념은 반지도 학습(semi-supervised learning, 많

은 양의 레이블이 없는 데이터와 소수의 레이블이 있는 데이터가 존재할 때 사용)과도 관련이 있으며, 전이 학습(transfer learning), 도메인 적응(domain adaptation), 멀티태스크 학습(multi-task learning, 관심 있는 작업에 대한 레이블이 자주 제공될 때 사용)과 같은 범주에 속합니다. 딥러닝(deep learning)은 비지도 학습(unsupervised learning) 및 전이 학습(transfer learning)을 포함한 여러 과제에 대한 해결책을 제공하는 방법으로 이 문서에서 설명됩니다. 이러한 현상을 설명하는 일반적인 방법 중 하나는 '다층 표현 학습(multilayer representation learning)', 또는 '딥 러닝(deep learning)'입니다. 더 높은 수준의 표현(higher-level representations)에서 더 추상적인 특징(abstract features)을 찾음으로써, 데이터에서 한 변수 집합의 양을 다른 변수 집합과 더 잘 구분하고자 합니다.

1.4 비지도 및 전이 학습 챌린지의 맥락

이 대회는 참가자들이 다음과 같은 학습 맥락에서 지식을 얻을 수 있는 기회를 제공하기 위해 설계되었습니다: 훈련 세트에서 충분히 대표되지 않은 카테고리의 예시들이 테스트(test) 및 검증(validation) 세트에 포함됩니다. 헵비안(Hebbian) 선형 분류기(Hebbian linear classifier)를 사용하여 두 클래스 간의 중심값(median)의 중앙값(median) 차이를 기반으로 클래스를 구분하는 데이터 포인트는 제한적입니다. 또한, 레이블이 부여된 데이터 포인트의 수가 매우 적다는 점을 감안해야 합니다. 이는 각 클래스에 대해 분류기를 개별적으로 적용하고 그 결과를 다른 클래스의 결과와 함께 분석함으로써 달성될 수 있습니다. 대회의 두 번째 부분에서는 태그가 지정된 소수의 예제를 훈련 세트로 제공하는 것을 계획하고 있습니다.

이 예제는 테스트 세트나 검증 세트(validation set)에 포함되지 않은 클래스로부터 시작합니다. 참가자들은 훈련 세트(training set)를 사용하여 테스트 세트(test set) 인스턴스에 대한 표현을 구성할 수 있습니다. 이때, 불필요한 레이블이 추가된 경우가 있을 수 있습니다. 원시 입력 벡터(raw input vector)를 새로운 공간으로 변환하는 학습 과정은 대부분 이 목표를 달성하는 데 사용됩니다. 여기서의 목표는 이 변환이 데이터를 생성하는 미지의 분포에서 가장 중요한 변이 요인을 설명하는지 확인하는 것입니다. 그 후, 이 변환을 테스트 세트의 예제에 적용할 수 있습니다. 이러한 표현을 바탕으로, 챌린지 서버는 테스트 세트의 작은 무작위 하위 집합에 대해 헤비안 선형 분류기(Hebbian linear classifier)를 훈련한 다음, 나머지 테스트 세트에 대한 일반화를 평가합니다. 이때, 평균 점수를 도출하기 위해 여러 무작위 하위 집합이 계산됩니다. 대부분의 문제는 다음과 같은 카테고리로 분류할 수 있습니다.

- 훈련 세트와 비교하여 테스트 세트의 입력 분포가 매우 다를 수 있습니다. 예를 들어, 테스트 세트에서 판별해야 할 클래스 집합이 훈련 세트에 없거나 드문 경우, 훈련 세트에서 테스트 세트로의 전이가 불분명할 수 있습니다.

- 훈련 세트와 테스트 세트(또는 검증 세트)의 출력 값 분포 사이에 상당한 차이가 있을 수 있습니다. 이는 테스트 세트가 훈련 세트와 독립적으로 생성되었기 때문일 수 있습니다.

- 테스트 세트에서 중요한 클래스에 대한 레이블이 제공되지 않을 수 있습니다. 이는 테스트 세트에 포함된 서로 다른 클래스의 특성 때문에 발생할 수 있습니다. 훈련 세트의 레이블

은 실제로 표현 학습 알고리즘을 오도할 가능성이 있습니다.

1.5 깊이

전기 회로를 구성할 때 복잡성 이론에서 제공하는 깊이(depth) 개념을 활용합니다. 방향성 비순환 네트워크(directed acyclic network)를 사용하여, 회로의 각 노드는 자체적으로 수행하는 계산에 연결됩니다. 네트워크의 한 노드가 수행한 계산 결과는 후속 노드의 활동에 포함되어 계산이 지속적으로 개선됩니다. 이 특정 회로에서는 입력 역할을 하는 노드에는 선행 노드가 없고, 출력 역할을 하는 노드에는 후속 노드가 없습니다. 노드가 출력 후보가 되려면 이 두 가지 기준을 모두 충족해야 합니다. 회로의 깊이는 입력 노드와 출력 노드 사이의 거리와 비례합니다.

복잡성 이론가들은 깊이가 제한된 회로가 다른 방법으로는 효율적으로 표현할 수 없는 함수를 정확하게 표현할 수 있는지에 대해 논의해 왔습니다. 깊이가 2인 회로는 무한히 많은 노드를 필요로 하지만, 적절한 계산 구성 요소(예: 논리 게이트 또는 형식적 뉴런)를 사용하면 어떤 함수든 추정하거나 계산할 수 있습니다. 이는 머신 러닝 분야에서 중요한 연구 주제입니다. 많은 학습 알고리즘은 '얕은 아키텍처(shallow architecture)'로 끝나는데, 이는 대부분의 경우 비매개변수 예측에 크게 의존하기 때문입니다. AI 작업에 더 복잡한 신경망이 필요하다면, 이러한 복잡성을 학습 알고리즘에 통합하는 방법을 고안해야 합니다.

현재로서는 이러한 기술 중 어느 것도 완전히 활용할 수 없습니다. 매우 단순한 예측 변수를 선택하더라도, 방대한 양의 데이터와 상당한 컴퓨팅 및 통계 능력이 있어도 일반화가 잘 되지 않을 수 있습니다. 이는 데이터가 견고하더라도 마찬가지입니다. 패리티 함수(parity function)는 얕은 회로에서의 초기 연구의 주요 초점이었습니다. 이 초기 연구 결과는 논리 게이트 회로에서 깊이 2가 2비트 패리티를 달성하기 위해 필요하지만, 크기가 O(d)인 공간에서는 깊이 O(log(d))로도 충분하다는 사실을 보여주었습니다.

이 초기 연구들은 깊이가 k인 논리 게이트 회로(logic gate circuits)를 사용하여 다항식 크기의 계산을 수행할 수 있음을 보였지만, 얕은 회로(shallow circuits)로는 기하급수적인 크기를 요구하는 함수가 존재함을 증명했습니다. 이 이분법은 깊이가

k인 논리 게이트 회로를 사용하여 다항식 크기의 계산이 가능한 함수들이 있음을 입증함으로써 입증되었습니다. 특정 함수군을 묘사하고자 할 때, 선형 임계값 단위(linear threshold units), 또는 뉴런(neurons)으로 구성된 회로를 사용하면, 비슷한 목적을 달성할 수 있음이 입증되었습니다. 이는 선형 임계값 단위를 사용하여 비슷한 결과를 얻을 수 있다는 것을 보여줌으로써 달성되었습니다. 최근 발표된 연구에서는 표면적인 수준에서는 의미를 파악하기 어려운 광범위한 함수 클래스를 조명했습니다.

기본 정리(fundamental theorem)와 공동 분포(joint distribution)에서 의존성을 표현하는 함수의 특성화(characterization) 사이의 연결 고리가 확립되었습니다. 기본 정리가 주목할 실질적인 이유 중 하나는 얕은 회로에서 R개 이상의 변수를 포함하는 종속성을 표현하는 것이 오류를 범하기 쉽다는 것입니다. 이는 회로 내에 노드의 수에 제한이 있기 때문입니다. r개의 변수를 고려할 경우, r개의 독립 분포(independent distributions)와 균등 분포(uniform distributions)를 구분하는 것은 불가능합니다. 이 두 분포는 모두 동일한 결과를 가져오는데, 이러한 특성을 'r-독립성(r-independence)'이라고 하는 분포와 연결합니다. 비트 벡터(bit vectors)에 대한 분포를 중심으로 한 주요 논제를 증명하기 위해서는, 실수(real numbers)에 대한 차수-r 다항식(polynomials of degree-r)이 r-독립 분포를 정확하게 표현하지 못한다는 사실이 중요합니다.

이는 본 연구가 비트 벡터에 대한 분포에 초점을 맞추고 있기 때문에, r-독립 분포를 설명하는 데 있어 실수에 대한 차수-r 다항식이 부족하다는 사실에서 비롯합니다. r-독립 분포는 r에 의존하지 않는 분포입니다. 이 발견에서 도출할 수 있는 중요한 결론 중 하나는, 깊이의 한계가 짧은 회로는 더 이상 노이즈(noise)와 r-독립 분포에서 발생하는 데이터를 구분할 수 없다는 것입니다. 노드가 실수에 대한 합(sum) 또는 곱(product)을 계산하는 합계-곱 네트워크(sum-product networks)에 대한 연구 결과도 최근에 보고되었습니다. 이 연구 결과는 심포지엄에서 발표되었습니다. 단층 회로(single-layer circuits)로는 선형 차원의 공간을 사용하지만, 다층 회로(multilayer circuits)로 표현할 때는 기하급수적인 공간이 필요한 두 다항식 군을 발견했습니다. 이러한 다항식을 다층 회로 형태로 표현하면 필요한 저장 공간이 선형 차원으로 축소됩니다.

이러한 표현의 이점을 통해 얻을 수 있는 복잡성 이론적 힌트 외에도, 심층 아키텍처를 생성하는 학습 알고리즘을 연구하는 데는 여러 동기가 있습니다. 합산곱 네트워크(Sum-Product Network, SPN)는 최근 고차원 공동 분포를 표현하는 효과적인 방법으로 제안된 새로운 기술입니다. 이는 고려해야 할 중요한 사항입니다. 첫 번째 유형은 가장 근본적인 자체 생성된 아이디어입니다. 해부학적 데이터와 신호가 망막에서 전두엽 피질로, 그리고 운동 뉴런으로 이동하는 데 걸리는 시간을 측정함으로써, 시각적 물체 식별과 관련된 가장 기본적인 활동에 최소 5~10개의 피드포워드 레벨이 관여하고 있음을 확인할 수 있습니다.

이러한 측정은 신호가 망막에서 전두엽 피질로 이동하는 데 걸리는 시간을 측정하여 얻을 수 있습니다. 이 목표를 달성하기 위해 해부학적 정보와 신호 전달 시간을 결합할 수 있습니다. 보다 복잡한 시각 활동을 완료하려면 상향식과 하향식 반복 및 피드백이 필요합니다. 결과적으로 전체 깊이가 2~4배 증가하며, 이는 약 0.5초의 증가에 해당합니다.

1.6 전이 학습 및 도메인 적응을 위한 전이적 전문화

대회의 특성상, 테스트 세트에 포함된 클래스에 대한 훈련 레이블이 제공되지 않았습니다. 이로 인해 감독 하에 상당한 양의 미세 조정을 수행하기 어려웠습니다. 더 심각한 문제는 훈련 세트와 테스트 세트 간의 입력 분포가 크게 달라 분류에 어려움이 있었습니다. 두 그룹 모두 정상적인 능력 범위를 벗어난 작업을 해야 했습니다. 훈련 세트와 테스트 세트는 거의 전적으로 다른 코스의 샘플로 구성되었습니다. 이러한 구성은 도메인 적응과 전이 학습이 어떻게 극단적으로 활용될 수 있는지를 보여주는 완벽한 예입니다. 이 환경 내에서 광범위한 일반화를 할 수 있는 여지가 없습니다. 훈련 세트의 입력 분포가 테스트 세트의 입력 분포를 변경하지 않는다면, 훈련 세트의 비지도 표현 학습조차도 테스트 세트에 대한 학습된 전처리로 효과적이지 않을 수 있습니다.

유일한 희망은 표현 학습 알고리즘이 모든 클래스에서 발생하는 일반적인 변동 요인을 포착하는 특징을 찾아내고, 테스트 세트의 분류기가 클래스 간 차별과 관련된 요인만을 선택하는 것입니다.

그러나 이것은 여전히 먼 미래의 일이며, 실현 가능성은 낮습니다. 차원 수가 많은 표현을 사용해도 검증 세트에서 좋은 결과를 얻을 수 없었습니다. 테스트 세트의 분류기는 사용 가능한 레이블링된 샘플의 극히 일부만 사용할 수 있었습니다.

테스트 세트의 레이블을 검토하기 전에 관련 특성을 선택해야 했습니다. 성공의 일부는 변환적 기법의 활용에 기인합니다. 비지도 특징 학습 아키텍처의 최상위 계층은 테스트 세트에서 가져온 예제로만 거의 전적으로 학습되었습니다. 이는 정확도를 극대화하기 위한 조치였습니다. 훈련 세트가 테스트 세트보다 훨씬 광범위했기 때문에, 훈련 세트를 활용하여 다양한 클래스에 걸쳐 변형을 정의하는 광범위한 범용 특성을 생성할 수 있었습니다. 그 후, 레이블이 없는 테스트 세트에 전이적 접근법을 사용하여 훈련 세트에서 수집한 비선형 구성 요소를 활용하여 분산이 가장 큰 몇 가지 요소를 선택했습니다.

이러한 선택은 훈련 집합의 정확성을 테스트 집합의 도움으로 검증할 수 있도록 하기 위한 것이었습니다. 대부분의 목표는 기본 주성분 분석(Principal Component Analysis, PCA)의 고급 수준에서 수행되었습니다. 훈련은 전적으로 테스트 데이터를 사용하여 이루어졌으며, 가장 지배적인 고유 벡터 몇 개만 선택되었습니다.

1.7 PCA, ICA, 정규화

계층 구조의 하나 이상의 단계에서 전통적인 선형 모델을 사용할 가능성이 있습니다. 이러한 모델의 예로는 주성분 분석(PCA)과 독립 성분 분석(ICA)이 있습니다. 실제로 데이터에 PCA를 적용하면 가장 기본적이고 복잡한 수준에서 모두 유리한 결과를 얻을 수 있다는 것을 발견했습니다. PCA는 데이터의 가장 큰 변동성을 나타내는 전역 선형 방향을 유지하면서 이를 직교하는 축으로 분해합니다. 입력 데이터의 공분산 행렬의 고유 벡터(eigenvector)를 투영하는 것은 우리가 검토한 여러 표현 중 하나였으며, 결국 이를 사용하기로 결정했습니다. 이는 데이터의 질량 중심을 중심으로 하는 좌표계에서 선형 다양체(manifold)에 해당하는 고유 벡터들로 구성됩니다. 이는 데이터 중심점을 기준으로 한 것과 유사합니다.

첫 번째 PCA 레이어는 전체 변동성이 가장 적은 방향의 일부

변수를 제거함으로써 입력 분포를 평활화하는 뚜렷한 효과를 보였습니다. 이는 첫 번째 PCA 레이어가 일관되게 많은 방향을 유지함으로써 나타난 결과입니다. 이 과정에서 전체 변동성의 가장 큰 부분을 차지하는 방향과 연결된 변동성의 양을 감소시켰습니다. PCA 변환 후에는 '화이트닝(whitening)'이라 불리는 추가적인 정규화(normalization) 단계를 적용할 수 있습니다. 이 단계에서는 각 투영을 해당 고유값의 제곱근(이를 분산이라고도 함)으로 나누어 투영을 정규화합니다.

PCA는 데이터에 대해 이미 일정 수준의 정규화(데이터의 평균을 빼고 지정된 방향에 대한 표준편차로 나눔)를 수행할 수 있지만, 더 효과적인 정규화 형태가 있음을 알 수 있습니다. 이는 다변량 정규화(multivariate normalization)라고 하며, 이는 콘트라스트 정규화(contrast normalization)의 표준 절차를 변형하여 딥 컨볼루션 신경망(deep convolutional neural networks)의 훈련 중에 적용되는 방식입니다.

이 과정의 목표는 각 입력 벡터를 구성하는 데이터 전체의 일관성을 보장하는 것입니다. 이를 위해 데이터에서 평균을 빼고, 그 결과 값을 전체 입력 벡터에 걸쳐 있는 데이터의 표준 편차로 나눕니다. 원하는 결과를 얻기 위해 이 과정은 필요에 따라 반복됩니다.

1.8 훈련 중 성능 모니터링

로그 확률 그래디언트(log likelihood gradient)에 사용할 수 있는 적절한 추정기(estimator)는 있지만, 로그 확률 자체를 추정하는 데 사용할 수 있는 저렴한 방법은 아직 없습니다. 어닐드 중요도 샘플링(annealed importance sampling) 접근 방식은 비용이 많이 드는 방법입니다. 이 때문에 RBM(Restricted Boltzmann Machine)을 활용하는 것이 더 어려워집니다. 재구성 오류 평가(reconstruction error evaluation)는 '가난한 사람의 대안'으로, 훈련 프로세스 초기에는 유용하지만 언제 훈련을 중단할지 결정하는 데는 도움이 되지 않습니다. 재구성 오류 평가는 자동 인코더(autoencoder)의 파라미터에 대해서도 유용합니다. 훈련의 초기 단계에서 이 방법을 활용하면 도움이 될 수 있습니다. 이 방법은 운동 루틴을 시작하는 데는 좋지만, 언제 운동을 중단해야 하는지에 대한 지침은 제공하지 않습니다. 이상적인 훈련 시간을 결정하기 위해서는 다양한 기간 동안 모델 가중치를 저장하고, 학습된 표현을 지도 분류기(supervised classifier)에 추가하는 것이 중요합니다.

이 작업은 앞서 설명된 단계를 따라 수행됩니다. 노이즈 제거 자동 인코더(denoising autoencoder)는 노이즈 제거 재구성 오류가 미리 결정된 임계값에 도달하면 처리를 조기에 종료할 수 있습니다. 이는 교육 전제 조건에 필요한 요구 사항을 충족하기 때문입니다. 그러나 분류기에 적합한 표현을 제공하는 데 탁월한 모델이 최고의 생성 모델이나 가장 많은 노이즈를 제거하는 모델과 동일하지 않을 수 있습니다.

대회에서 사용된 전송 옵션은 훈련에 사용된 분포와 테스트 및 검증에 사용된 분포 간의 차이를 잘 보여주는 예입니다. 이 특정 시나리오에서는 여러 훈련 주기에 걸쳐 검증 세트의 분류 오류를 검사하는 비용이 더 많이 드는 기술을 선택했습니다. 계약형 자동 인코더(contractive autoencoder)에서 훈련 기준은 유용한 모니터링 도구로 활용될 수 있습니다. 이는 훈련 기준이 검증 세트의 함수이기 때문에 가능합니다. 훈련 기준이 두 가지 목표 중 하나 또는 둘 다를 충족할 수 있을 만큼 충분히 유연하다면 이런 경우가 발생할 수 있습니다. 실제로 훈련을 "중단"한 것이 아니라 훈련 궤적의 다양한 지점에서 표현을 취하고, 각 단계와 관련된 다른 지표와 함께 학습 곡선 아래의 영역을 평가했습니다. 한 가지 장점은 다른 기간의 결과를 예측할 때마다 모델을 다시 훈련할 필요 없이 동일한 모델을 재사용할 수 있다는 것입니다.

1.9 무작위 검색 및 욕심 많은 계층별 전략

각 계층에서 서로 다른 종류의 표현 학습 모델을 가질 수 있고, 이러한 학습 알고리즘 각각에 여러 개의 하이퍼파라미터가 있다는 점을 고려할 때, 심층 아키텍처의 종류를 탐색하는 데 가능한 구성과 선택의 폭이 매우 넓습니다. 이 두 가지 요소로 인해 고려해야 할 순열과 경로의 수는 무한히 많습니다. 하이퍼파라미터를 처리할 때, 머신러닝 실무자는 일반적으로 지도 학습 또는 비지도 학습 중 하나를 적절한 전략으로 선택합니다. 첫 번째 방법은 시행착오를 통한 검색으로, 인간 가이드 검색이라고도 합니다.

그리드 검색(grid search)이라는 다른 접근 방식은 먼저 각 하이퍼파라미터에 적용할 값의 범위를 선택한 다음, 이러한 값의 가능한 모든 조합에 대해 모델을 훈련하고 테스트하는 과정을 거칩니다. 두 접근 방식 모두 하이퍼파라미터의 수가 적을 때는 성공적이지만, 하이퍼파라미터의 수가 늘어나면 실패할 가능성이 높습니다. 끊임없이 증가하는 시장 수요를 충족하기 위해서는 보다 신중한 조치가 필요합니다. 기존의 '무작위 검색'과 '욕심 많은 탐색'을 결합함으로써, 다른 방법보다 확장성이 뛰어난 방법을 생각해낼 수 있었습니다. 무작위 검색 방식은 실행이 간단할 뿐만 아니라 그리드 검색 전략에서는 찾을 수 없는 여러 가지 이점을 제공합니다.

각 하이퍼파라미터에 대한 가능한 값의 범위를 정의하기 위해서는 먼저 해당 분포를 설정해야 합니다. 예를 들어 학습률(learning rate), 숨겨진 유닛의 수(number of hidden units), 주요 구성 요소의 수(number of principal components)가 log(0.1)에서 log(10^6) 사이의 범위에 있다고 가정해 봅시다. 이 두 가지 해석 모두 가능성이 있는 것으로 여겨집니다. 그러나 그리드(grid)를 무작위로 설정하기보다는, 각 하이퍼파라미터에 대해 좀 더 제한된 범위 내에서 값을 선택하는 것이 바람직합니다. 현재는 그리드를 구성하는 대신 이 방식을 선호합니다. 무작위(random) 또는 준무작위(quasi-random) 탐색을 사용하면, 특정 하이퍼파라미터가 중요하지 않을 경우에 불필요한 계산을 하지 않게 되지만, 그리드 탐색(grid search)은 많은 실험을 반복할 수는 있지만, 중요한 하이퍼파라미터의 값이 변하지 않을 때 새로운 정보를 얻지 못하는 단점이 있습니다.

탐색을 수행할 때는 무작위 또는 준무작위 방법을 사용함으로써 계산 시간을 절약할 수 있습니다. 이것이 그리드 전반에 걸쳐 무작위 또는 준무작위 탐색을 수행할 때 얻을 수 있는 주된 이점입니다. 반면, 무작위 탐색은 각 실험이 독특함을 보장하기 때문에, 결국 더 많은 정보를 축적할 수 있습니다. 무작위 탐색은 사용이 간편하며, 모든 작업이 완료되지 않았더라도, 이미 완료된 작업을 바탕으로 결론을 도출할 수 있다는 장점이 있습니다. 이는 상당한 이점입니다. 해당 주제에 대한 연구가 진행될수록, 어떻게 성능이 향상되는지를 보여주는 곡선(신뢰 구간 포함)을 작성할 수 있고, 실험의 일부 데이터만 사용하여 신뢰 구간을 생성할 수 있습니다(현재 모든 실험은 독립 동일 분포(i.i.d.)를 가정합니다). 그러나 베이지안 최적화(Bayesian optimization)

와 같은 순차적 최적화 방법을 사용하여 최종 목표에 도달하기 위해서는 추가적인 연구가 필요합니다.

훈련 시험의 결과를 활용하고 구성 공간에서 더 유망한 부분을 샘플링하기 위해서는 베이지안 최적화(Bayesian optimization)와 같은 순차적 최적화(sequential optimization) 방법이 필요합니다. Brochu 외(2009)에 의해 자세히 설명된 베이지안 최적화는 이러한 접근법의 한 예입니다. 반면, 무작위 검색(random search)은 실행이 간단하며, 별도의 하이퍼파라미터 조정이 필요하지 않습니다.

무작위 검색 기법은 과거에 큰 성공을 거두었으며, 향후에도 널리 사용될 것으로 생각됩니다. 딥 아키텍처(deep architecture)는 여러 레이어를 쌓아 올리는 방식으로 구성되며, 각 레이어는 고유한 선택 사항과 하이퍼파라미터를 가집니다. 딥 아키텍처의 형성은 레이어를 추가하는 것으로 이루어지며, 작업을 시작하기 전에 첫 번째 레이어의 설정을 조정하는 것이 중요합니다. 예를 들어, 단일 레이어 학습 알고리즘의 하이퍼파라미터를 다양한 값으로 실험하여 평균 라벨링 오류(Average Labeling Error,

ALC)와 같은 특정 측정값에 따라 최적의 조합을 찾을 수 있습니다.

다음 단계는 보조 레이어의 선택 사항을 더 정밀하게 조정하는 것입니다. 이후에는 최적의 옵션만을 선택하여 두 번째 레이어에 적용하고, 레이어를 추가하는 작업을 계속합니다. 데이터 처리에 필요한 시간은 레이어 수에 비례하여 증가합니다.

1.10 하이퍼 파라미터

대부분의 알고리즘에서 학습 속도(learning rate) 하이퍼파라미터가 중요합니다. 학습 속도가 느리면 계산 처리 시간이 길어져 성능 수렴이 제대로 이루어지지 않을 수 있습니다. 반면, 학습 속도가 지나치게 높으면 학습 기준이 엄격해지거나 학습 과정이 달라질 수 있어 바람직하지 않은 결과를 초래할 수 있습니다. 따라서 학습 속도를 적절히 조절하는 것이 중요합니다.

탐색한 다이나믹 레인지(dynamic range)가 대략적인 수준일지라도, 학습 속도를 1배 이상 향상시키는 것은 큰 이점을 제공하지 않습니다. 특정 계수를 넘어서는 튜닝은 생산성을 크게 향상시키지 못합니다. 학습률에 대한 연구는 로그 영역(logarithmic scale)에서 가장 효과적으로 수행됩니다. 높은 학습률로 시작하여 점차적으로 낮추어(3배씩) 학습에 편차가 발생하지 않는 지점까지 조정하는 것이 좋습니다.

이렇게 해도 훈련의 편차가 발생하지 않는 한, 학습 속도를 달성 가능한 최고 값까지 높이는 것이 대부분의 경우 훈련 오류를 최소화하는 가장 효과적인 방법이 될 수 있습니다. 발산 훈련 오류율(diverging training error rate)은 주의가 필요한 하이퍼파라미터 중 하나입니다. 분류기에 제공되는 최상위 수준 표현의 차원 수도 중요한 하이퍼파라미터입니다. 선형 분류기는 클래스를 정확하게 구분하기 위해 정해진 수의 차원이 필요하기 때문에 이 값은 일반적으로 클래스 수와 같거나 같아야 합니다. 조기 중지(early stopping)는 과적합을 방지하고 모델 검색 속도를 높이는 데 좋은 방법이며, 이는 실행 가능한 옵션이 됩니다.

따라서 모델 검색을 조기에 종료하는 것이 실행 가능한 대안이 될 수 있습니다. 결과적으로 작업을 일찍 종료하는 것은 적합한 모델을 찾는 과정을 가속화하는 데 유용한 전략이 될 수 있습니다. 각 훈련 주기 후에 일반화 오류의 가능한 지표를 계산할 수 있습니다. 이는 검증 세트에 비지도 학습 기준을 적용하거나 의사 검증 세트에 선형 분류기를 훈련시키는 것으로 가능합니다. 이 두 가지 방법은 각각의 장점이 있으며, 수행해야 하는 작업에 유용할 수 있습니다.

빅 데이터는 광범위하게 분산된 컴퓨팅 자원(computing resources)을 활용하여 수집되는 방대한 양의 데이터를 뜻하는 '거대 데이터'의 줄임말입니다. 이런 중요한 데이터 집합은 형태가 정해지지 않은 다양한 유형의 데이터 세트(unstructured data sets)로 구성되며, '빅 데이터'라는 용어는 데이터의 볼륨(volume), 처리 속도(velocity), 그리고 다양성(variety)이라는 세 가지 주요 특성을 내포하고 있습니다. '빅 데이터'를 다룰 때 '양'과 '속도'는 데이터의 분석 및 처리 속도가 얼마나 빠른지를 암시하며, '다양성'은 데이터를 수집하는 다양한 출처를 나타냅니다.

빅 데이터는 사물 인터넷(IoT, Internet of Things) 플랫폼은

물론 다양한 분야에서 생성되어 수집됩니다. 수집된 이 데이터 세트는 객체 추상화 계층(object abstraction layer)의 도움으로 객체 계층(object layer)에서 서비스 관리 계층(service management layer)으로 이동됩니다. 서비스 관리 계층은 상위 계층(higher layers)의 효율적인 운영을 지원하기 위해 의사 결정 지원(decision support)과 예측(predictive services)을 포함한 다양한 서비스를 제공합니다.

이러한 목표를 달성하기 위해, 객체 계층에서 수집된 정보를 바탕으로 데이터 분석이 이루어집니다. 고객은 사용자 인터페이스(user interface)를 통해 상위 계층에 접근할 수 있으며, 여기에서 생성된 지능형 서비스(intelligent services)가 대규모 조직에 제공됩니다. 과거에는 분산 컴퓨팅 환경에서 이렇게 다양하고 방대한 정보를 처리할 수 있는 능력이 부족했습니다. 최대한 다양한 유형의 콘텐츠를 효과적으로 처리하려면 빠른 처리 속도와 큰 저장 용량을 갖춘 장치가 필요합니다. 대체로 '빅 데이터 분석(Big Data Analytics, BDA)'이란 정보 수집, 중앙 집중식 클라우드 데이터 센터(cloud data center)에의 정보 저장, 그리고 수집된 데이터의 준비, 평가, 분석 과정을 가리킵니다.

심층 신념 네트워크(Deep Belief Networks), 심층 컨볼루션 신경망(Deep Convolutional Neural Networks), 스택킹 자동 인코더(Stacking Autoencoders)와 같은 오래전부터 사용되어 온 딥러닝 기술은 사진, 텍스트, 사운드 등 다양한 파일 유형의 속성을 스스로 학습합니다. 이러한 기술은 다른 동물에서는 찾아볼 수 없는 인간만의 특성을 모방합니다. 최근 몇 년 동안 특징 학습 분야에서는 다양한 멀티모달 특징 학습 접근법이 개발되었습니다. 다중 모드 심층 신경망(Multimodal Deep Neural Networks)과 심층 볼츠만 머신(Deep Boltzmann Machines)은 이러한 멀티모달 특징 학습 기법의 대표적인 예입니다. 멀티모달 학습 시스템은 초기 단계에서 제공되는 다양한 정보 샘플의 특성을 학습합니다. 그 후, 새로 획득한 속성을 단일 벡터로 결합하여 이질적인 데이터 모델을 포괄적으로 묘사합니다.

멀티모달 학습은 레이블이 지정되지 않은 데이터를 통해 단일 기여도를 표현하는 방법을 학습합니다. DRNNWSR(Deep Recurrent Neural Network With Sparse Representation)

로 알려진 이 접근 방식은 인터넷에서 발견되는 방대한 양의 데이터에서 강력한 특성을 학습하는 것을 목표로 합니다. 이 접근 방식은 스파스 표현과 순환 신경망(RNN)의 조합을 사용합니다. 이를 통해 데이터의 광범위한 비선형 구조에 대응하기 위해 가중 소프트맥스 회귀(Weighted Softmax Regression, WSR) 알고리즘을 분류기로 사용했습니다. 그런 다음 소프트맥스 회귀 알고리즘의 결과를 역전파(backpropagation) 방식을 사용해 적절하게 수정했습니다. 이러한 미세 조정은 그라디언트 확산 및 국부적 극한 문제를 줄이는 데 도움이 되며, 전체 프로세스의 내구성을 높이고 분류 성능을 향상시킵니다.

이 외에도 학습 속도가 빨라지고 학습한 내용을 실무에 적용하기가 더 간단해집니다. 이 프로젝트의 효과를 입증하기 위해 라벨이 부착되지 않은 대규모 데이터 세트를 사용해 일련의 실험을 진행했습니다. 이러한 연구를 통해 얻은 결과는 DRNNWSR이 군집 특성을 학습하는 과정에서 높은 수준의 정확도를 달성할 수 있음을 시사합니다. 지구 관측(Earth Observation, EO)은 원격 감지 기술을 활용하는 연구 분야입니다. 이 분야에서는 위성이나 항공기 등 다양한 플랫폼에 탑재된 여러 장비를 사용하여 다양한 물리적 신호를 모니터링합니다. 현대 사회에서는 다양한 품질의 센서를 광범위하게 사용할 수 있습니다.

이러한 센서의 품질은 중간 및 초고해상도(Very High Resolution, VHR)의 다중 스펙트럼 사진부터 전자기 스펙트럼을 매우 세밀하게 샘플링하는 초분광 이미지에 이르기까지 다양합니다. 정량적 측정과 지리적-생물학적-물리적 변수의 추정, 그리고 물질 식별을 목적으로 수집한 사진의 처리는 이러한 다양한 센서의 주요 용도 중 하나이며, 그 외에도 다양한 용도로 활용되고 있습니다. 이러한 센서는 매우 다양한 형태, 크기, 조합으로 제공됩니다. 수집된 이미지로부터 생성될 수 있는 많은 제품 중 하나는 분류 맵으로 알려져 있으며, 이 맵은 이러한 제품 중 가장 중요한 제품일 수 있습니다. 이러한 주요 결과물 외에도 다양한 추가 잠재적 결과물이 있습니다.

토지 피복 및 토지 이용 지도는 장기간 연구에 필요하고 다른 프로세스에 주요 입력을 제공하기 때문에 원격 감지 사진 분류의 난이도는 매우 까다롭고 어디에나 존재합니다. 게다가 이 작업은 널리 퍼져 있다는 사실 때문에 더욱 어렵습니다. 정교하고 강력하며 정확한 수많은 분류기를 사용할 수 있게 되었지만, 이 분야는 여전히 엄청나게 중요한 여러 가지 과제에 직면해 있습니다.

매우 복잡하고 다차원적인 오디오 소스의 데이터를 인식하는 문제에 대한 해결책을 찾는 것은 현재 우리가 직면한 가장 어려운 과제 중 하나입니다. 이전 연구에 따르면 오디오 처리의 초기 단계에 관여하는 포유류 뉴런은 청각 정보를 희소하게 표현하여 학습하는 것과 매우 유사한 필터를 활용한다는 사실이 입증되었습니다. 결국 다수의 연구에서 이러한 방식이 옳다는 것이 밝혀졌습니다. 스파스 코딩 모델을 실제 소리나 음성에 적용했을 때, 놀랍게도 청각 피질의 달팽이관 필터와 일치하는 학습된 표현(기저 벡터)이 생성되었습니다. 그로스와 동료들은 관련 연구를 통해 청각 데이터를 위한 효율적인 스파스 코딩 솔루션을 개발했고, 이를 오디오 분류 문제에 적용할 수 있는 능력을 입증했습니다. 그럼에도 불구하고 이 개념은 피상적인 특징이 있는 단일 레이어 표현의 학습에 사용되어 왔습니다.

더 복잡하고 고도화된 표현법을 습득하는 과정은 계속해서 도전적이며 의미 있는 여정이 될 것입니다. 최근 '2단계 이상'의 처리를 가능케 하는 새로운 기법들이 소개되고 있습니다. 이러한 '딥러닝(Deep Learning)' 방법론은 네트워크의 기본적인 단순 특성을 먼저 학습한 후, 점차 복잡한 특성을 습득하려는 시도를 합니다. 그러나 현재까지 알려진 바로는, '딥러닝' 기법이 청각 데이터 분석에는 널리 적용되지 않았습니다. 생성적 확률 모델(generative probabilistic models) 중 하나인 심층 신념 네트워크(Deep Belief Networks, DBN)는 보이는 층(visible layer) 외에 여러 개의 숨겨진 층(hidden layers)을 포함합니다. 상위 층의 표현은 점차 복잡해지는 경향이 있는데, 이는 숨겨진 층의 각 유닛이 그 아래 층의 유닛들 사이의 통계적 연관성을 학습하기 때문입니다.

이러한 학습 과정은 숨겨진 층의 각 유닛이 그 아래 층의 유닛들과의 연결고리를 이해하고 내재화해야 하기 때문에 발생합니다. 심층 신념 네트워크(DBN)의 학습에는 글루텐 레이어 와이즈 트레이닝(Greedy Layer-Wise Training) 방법을 적용할 수 있습니다. 이 방식을 사용하면 숨겨진 층들이 최상위에서부터 시작하여 아래로 내려가면서 순차적으로 학습됩니다. 컨볼루션 심층 신념 네트워크(Convolutional Deep Belief Networks, CDBN)는 고차원 데이터를 처리하기 위해 최근 몇 년 간 개발된 방법입니다. 이 방법은 머신러닝(machine learning)의 성능을 개선하기 위해 고안되었습니다. 컨볼루션 심층 신념 네트워크는 개념적으로 심층 신념 네트워크와 연관이 있습니다.

컨볼루션 심층 신념 네트워크도 심층 신념 네트워크를 학습시키는 것과 같은 상향식(bottom-up), 탐욕적(greedy) 접근 방식으로 교육될 수 있습니다. 이러한 신경망은 이미지 인식 작업에서 우수한 성능을 보여왔습니다. 본 장에서는 음악과 음성을 포함한 레이블 없는 오디오 데이터에 대한 컨볼루션 심층 신념 네트워크의 훈련 방법을 소개하고, 다양한 오디오 분류 작업에서의 성능을 평가해 봅니다. 또한 음성 데이터에서 추출한 특성이 어떻게 전화음(phoneemes) 및 음소(phonemes)와 일치하는지를 보여주는 몇 가지 데이터 샘플을 제공합니다.

다양한 오디오 분류 작업에서 기준이 되는 특징 표현의 성능은 스펙트로그램(Spectrogram)과 MFCC(Mel-Frequency Cepstral Coefficients)보다 우수합니다. 이는 특성의 묘사가 인간의 인식 가능한 한 사실에 가깝게 표현되도록 하는 것을 최우선 과제로 삼았기 때문입니다. 우리 시스템의 성능을 다른 혁신적인 방법과 비교했을 때, 특히 화자 인식 테스트에서 상당히 우수한 성능을 보인다는 사실을 발견했습니다. 전화번호 식별에서 MFCC의 특징과 우리의 특성을 결합하여 더 높은 수준의 정밀도를 달성할 수 있습니다. 또한, 딥러닝 접근 방식이 소리 분류에 활용될 수 있으며, 특정 애플리케이션에서는 2계층 특징이 1계층 특징보다 더 정확한 결과를 제공한다는 것을 보여줍니다.

이를 위해 첫 번째 계층과 두 번째 계층의 특징의 정확도를 함께 조사했습니다. 마지막으로, 기존의 기준 특징과 비교하여 우리 특징의 성능을 평가한 결과, 음악 분류 측면에서 우리 특징이 더 우수하다는 것을 입증했습니다. 훈련을 위해 태그가 지정된 샘플 수가 제한되어 있음에도 불구하고, 훈련된 특징은 테스트에서 다른 기준 특징을 능가하는 성능을 보였습니다. 이는 제한된 수의 샘플로도 이러한 결과를 달성할 수 있음을 의미합니다. 우리는 다양한 오디오 분류 과제에 딥러닝 알고리즘을 효과적으로 적용한 최초의 연구자라고 생각합니다. 이는 우리 연구의 차별화된 점입니다.

이 장을 통해 학자들이 오디오 식별과 관련된 문제를 해결하는데 사용할 수 있는 딥러닝 방법을 더욱 깊이 연구할 수 있기를 기대합니다. 의료 이미지 분석 분야에서는, 특정한 목록을 개발하는 기술을 사용하여 의료 이미지 분류와 같은 어려운 작업을 완료하는 것이 표준 절차입니다. 한편, 의료 사진에 주석을 다는 것은 때때로 모호함과 복잡성으로 가득 찬 절차가 될 수 있습니다. 이 장에서는 가능한 한 사람의 주석 없이도 정확한 특징 표현을 활용하면서 높은 수준의 작업을 수행하는 방법을 살펴보고, 이것이 이 장의 주요 논의 주제입니다. 특징 표현의 여러 측면에 관한 수많은 연구와 기사가 작성되었습니다. 비지도 특징 추출, 완전 지도 특징 추출, 수동으로 구성된 특징 추출이 특징 추출의 세 가지 기본 유형입니다.

비지도 특징 추출은 가장 자주 사용되는 특징 추출 방법입니다. 그라디언트 연산자나 필터 뱅크와 같이 수동으로 구성한 특징으로는 의료 사진에서 자주 발견되는 복잡한 진동을 포착할 수 없습니다. 다양한 의료 이미지에서 이러한 변화를 인식하는 것은 가능합니다. 완전히 지도된 특징을 훈련하려면 세심하게 주석이 달린 상당한 양의 데이터가 필요합니다. 이러한 주석이 달린 데이터를 확보하는 것은 까다롭고 시간이 많이 걸리며 모호하고 복잡합니다. 학습 과정에서 사람의 개입 없이 특성을 학습하기 위해 라벨이 없는 데이터를 활용합니다.

실제 데이터에 대한 통계적 분석을 통해 본질적이고 근본적인 특성을 발굴할 수 있습니다. 다음 장에서는 의료 분야의 진단 영상 분야와 관련하여 이를 살펴보겠습니다. 우리 그룹은 수작업으로 특징을 근사화하기 위해 컬러 히스토그램을 활용했습니다. 심층 신경망에서 완전히 지도된 특징의 유용성을 조사하기 위해 가장 깊은 숨겨진 계층의 특징을 사용했습니다. 우리는 비지도 방법을 사용하기로 결정했고, K-평균 클러스터링을 사용하여 획득한 중심점의 단일 레이어 네트워크를 사용했습니다. 여기에 보이는 네트워크가 구축되었습니다. 실험 결과, 자동 특징 학습은 완전 지도 및 비지도 설정 모두에서 수동 특징 학습보다 훨씬 우수한 성능을 보였습니다. 또한 완전 지도 기능의 최종 숨겨진 레이어에서 노드 수를 변경하는 것이 미치는 영향을 연구하고 이것이 결과에 어떤 변화를 가져오는지 평가했습니다.

이 작업은 두 경우 모두 수행할 수 있습니다. 고차원 특징은 저차원 특징에 비해 여러 가지 이점을 제공하기 때문에 완전 지도 특징 학습은 가능한 한 고차원 특징을 활용하는 데 초점을 맞춰야 합니다. 약한 지도 학습은 세분화된 정보에서 세분화된 정보를 자동으로 추출하는 것을 목표로 하는 방법입니다. 분류와 같은 고도의 작업에서 완전 지도 방식과 비지도 방식의 장점을 결합한 방법으로, 완전 지도 방식과 비지도 방식의 장점을 결합한 방식입니다. 이번 조사에서는 다중 인스턴스 학습(Multiple Instance Learning, MIL)으로 알려진 특정 유형의 비지도 학습에 초점을 맞췄습니다. 가방(Bag)의 형성은 여러 개의 별개의 사건이 합쳐진 결과입니다. MIL은 가방 레이블보다 더 세분화된 인스턴스 레이블에 대한 예측을 생성할 수 있는데, 이는 더 거친 단위인 가방 레이블을 고려하기 때문입니다.

이 연구에서는 조직 병리학적 스캔을 사용하여 다양한 유형의 대장암을 분류할 수 있는 가능성을 조사할 것입니다. 조직학에서는 "백"이라는 용어를 사용하여 다른 분야에서는 그림으로 알려진 것을 지칭합니다. 이미지의 각 인스턴스는 여러 개의 개별 사진을 조합하여 구성하는 직소 퍼즐과 같습니다. 가방에 하나 이상의 양성 예시(이 시나리오에서는 악성 조직)가 포함되어 있으면 해당 가방은 양성으로 간주됩니다. 가방에 좋지 않은 항목이 가득 차 있으면 "음성 가방"이라고 합니다. 아래는 편의를 위해 이 장에서 다루는 정보를 요약한 것입니다. 여기서 다룰 피처 학습 및 MIL 프레임워크와 관련된 선행 작업은 아래에 설명되어 있습니다. 이 연구에서는 특징 학습과 약하게 훈련된 분류기의 효과와 효율성을 탐구하기 위해 수립한 접근 방식에 대해 설명합니다. 특히, 이 연구는 이 둘 사이의 관계에 초점을 맞춥니다.

이 글에서는 다양한 기법을 활용하여 수행한 실험의 결과를 제공합니다. 다음 단계인 결론을 제시하는 작업은 이미 진행 중입니다. 머신러닝의 목적은 대량의 복잡한 데이터를 학습(예: 패턴 인식)하여 새로운 데이터에 대한 정확한 예측을 제공할 수 있는 알고리즘을 개발하는 것입니다. 데이터로부터 학습(예: 패턴 인식)할 수 있는 알고리즘을 개발하면 이러한 목표를 달성할 수 있을 것으로 보입니다. 머신러닝은 지난 수십 년 동안 현실 세계에서 AI를 사용하면서 나타난 수많은 문제를 해결하는 데 효과적인 방법임이 입증되었습니다. 이러한 문제는 AI의 광범위한 사용의 직접적인 결과로 발전했습니다.

얼굴 인식, 음성 인식, 광학 문자 인식(OCR) 등 다양한 분야에서 성공적으로 활용되고 있으며, 그 예로 몇 가지를 들 수 있습니다. 머신러닝은 어려운 문제를 해결하는 데 효과적인 방법임이 입증되었습니다.

컴퓨터 비전, 자연어 이해, 자율주행차 운전, 생물학적 데이터 마이닝, 의료 영상, 금융 공학, 웹 검색, 정보 검색 및 검색 등 다양한 분야의 문제를 해결하고 있습니다. 이는 머신러닝이 적용된 분야 중 일부에 불과합니다. 컴퓨터에서 사용되는 학습 알고리즘은 이러한 각 문제에 대한 실질적인 해답을 제공할 수 있습니다.

머신러닝을 보다 효과적으로 활용하기 위해서는 두 가지 주요 장애물을 극복해야 합니다. 첫 번째는 적절하게 분류된 상당한 양의 데이터가 필요하다는 점입니다. 학습 데이터가 많을수록 좋지만, 많은 수의 레이블을 생성하려면 상당한 인적 자원과 시간이 필요합니다. 반면, 라벨이 없는 데이터는 인터넷을 통해 쉽게 접근할 수 있고 비용도 적게 들기 때문에, 제한된 양의 라벨링된 데이터와 함께 상당한 양의 라벨링되지 않은 데이터를 활용하는 것이 바람직합니다.

두 번째 장애물은 신뢰할 수 있는 '특징(feature)' 표현을 확보하는 것입니다. 이는 머신러닝의 성공에 필수적인 요소로, 제공된 데이터의 측면을 특징이라고 합니다. 이러한 특징 표현이 마련되면 학습 알고리즘이 데이터를 더 쉽게 처리할 수 있습니다. 그러나 이러한 특징을 정확하게 표현하는 것은 간단한 과정이 아니며, 종종 사람의 수작업으로 이루어집니다.

실제 세계의 사실은 복잡하고 변화가 심하기 때문에 그 특성을 가능한 한 정확하게 묘사하는 것이 필수적입니다. 예를 들어, 컴퓨터 비전은 까다로운 연구 분야이며, 현재 시중에 나와 있는 가장 진보된 알고리즘도 개인이 달성할 수 있는 성능 수준을 따라잡지 못합니다. 컴퓨터는 이미지의 크기가 크고(사진은 종종 수십만 개의 픽셀로 구성됨) 가변성이 높기 때문에 이미지를 처리할 때 어려움을 겪습니다. 이는 원근감의 변화, 광도계 효과, 모양 변화, 문맥 변화 등 다양한 요인으로 인해 발생합니다.

이 문제는 이미지의 차원이 높고 가능한 순열의 수가 엄청나게 많기 때문에 발생합니다. 이 때문에 학습 알고리즘이 훈련 사진에서 새로운 이미지로 신뢰할 수 있는 외삽을 생성하는 것은 어렵습니다. 이는 컴퓨터가 픽셀의 강도로 구성된 원시 사진 데이터의 구조를 이해해야 하기 때문입니다. 음성과 텍스트 모두 고차원 입력 데이터를 포함하고 있기 때문에 이 문제는 대부분의 산업에서 널리 퍼져 있습니다. 이는 다양한 교육 과제에 대한 해답을 찾기 위해 기능을 구축하는 창의적인 기술이 자주 필요하다는 것을 의미합니다.

예를 들어, 오토바이가 있는 사진과 없는 사진을 분류하는 것은 어려운 과제입니다. 이를 위해 이미지의 픽셀 기반 표현을 사용하고, 이러한 픽셀의 특성을 서포트 벡터 머신(Support Vector Machine, SVM)과 같은 학습 접근 방식에 입력하여 오토바이의 존재 여부에 따라 분류할 수 있습니다. 이러한 접근 방식에서는 두 개의 픽셀을 무작위로 선택하여 만들 수 있는 산점도를 사용하여 오토바이와 다른 종류의 차량을 구분하는 것이 얼마나 어려운지 강조합니다. 이러한 접근 방식은 이미지의 차원이 높고 가능한 순열의 수가 많기 때문에 어려움을 겪습니다. 다음으로,

"오토바이 바퀴나 핸들바가 있는지"를 판별할 수 있는 기능 매핑을 고려해 볼 수 있습니다. 이러한 기능 매핑은 오토바이의 존재 여부를 더 정확하게 식별하는 데 도움이 될 수 있습니다.

이진 분류(Binary Classification) 문제는 상대적으로 혼란이 덜한 경향이 있습니다. 예를 들어, 이미지 안에 오토바이의 바퀴와 핸들바가 모두 존재한다면 해당 이미지에 오토바이가 있다고 판단하는 것이 합리적입니다. 다음 사례는 실용적인 특징이 머신러닝 응용 분야와 머신러닝 자체에 미치는 영향의 중대함을 보여줍니다. 그러나 대부분의 경우, 이러한 고수준 특징을 명시적으로 제공하는 것은 실용적이지 않습니다.

1.11 비지도 특징 학습(Unsupervised Feature Learning)

라벨이 없는 데이터로부터 특징 표현을 학습하는 것은 어렵지만, 앞서 언급된 도전을 이해하고 이에 맞서는 것은 중요합니다. 사진, 오디오, 비디오, 텍스트 등 다양한 영역에서 막대한 양의 라벨 없는 데이터를 쉽게 수집할 수 있는 점은 매우 흥미롭습니다. 이는 우리가 집중해야 할 부분이기도 합니다. 라벨이 없는 데이터는 풍부하게 존재합니다. 사실, 태그가 없는 상태에서도 데이터 내에는 다양한 구조가 존재합니다. 태그가 있든 없든, 이는 상황에 따라 다르지 않습니다. 예를 들어 얼굴 사진을 볼 때, 우리는 자연스럽게 그 사진에 나타난 얼굴의 특징과 같은 고수준 구조에 주목하게 됩니다.

이는 고수준 구조가 저수준 구조로 이루어져 있기 때문입니다. 원본 이미지에 접근할 수 있다면, 해당 영역의 경계는 물론 모서리, 지역적 곡률(local curvatures), 형태 등도 인식할 수 있습니다. 상위 구조가 하위 구조보다 복잡할 수 있음을 고려하면, 이는 충분히 가능한 일입니다. 같은 맥락으로, 음성 데이터 안에는 감마 톤 필터(gamma tone filters)와 음소(phonemes) 또는 단어에 해당하는 다른 저수준 구조가 포함되어 있을 수 있습니다. 라벨이 없는 데이터에서 구조를 파악하는 것은 머신러닝 프로젝트의 성공에 필수적이며, 이는 우리의 가설입니다.

입력 데이터에 특정 객체 클래스(예: 차량 바퀴가 아닌 얼굴 구성 요소)로 형성된 구조가 포함된 경우, 이러한 클래스별 패턴을 찾는 것이 분류 작업에 도움이 될 수 있습니다. 이 과정은 소량의 레이블이 지정된 데이터와 함께 수행할 수 있습니다. 문제는 라벨이 없는 데이터에서 이러한 특성을 어떻게 추출할 수 있는가 하는 것입니다.

이러한 정교한 기술을 습득하는 것은 어렵지만, 이 책의 목적은 이러한 절차를 가능한 한 단순화하는 방법을 설명하는 것입니다.

1.12 라벨링된 데이터에서 특징 학습하기

라벨링된 데이터에서 특징을 추출하는 아이디어는 머신 러닝의 여러 하위 분야에서 중요합니다. 여기서는 멀티태스크 학습, 전이 학습, 다중 커널 학습, 신경망 등을 간략히 소개합니다. 최근 몇 년 동안 "커널 학습"이라는 주제에 대한 연구가 많이 이루어졌습니다. 다중 커널 학습(MKL)은 이 분야의 대표적인 기술로, 여러 커널의 볼록한 조합을 통해 더 정확한 결과를 제공하는 것을 목표로 합니다. 각 커널은 고유한 특징 표현에서 추출되므로, MKL은 다양한 특징의 조합을 통해 특징 표현을 학습하는 과정으로 볼 수 있습니다.

인공 뉴런은 다층 신경망의 기본 요소로, 네트워크의 여러 계층에 걸쳐 피드포워드 방식으로 연결됩니다. 숨겨진 변수 또는 출력 변수의 값은 아래 계층의 가중치와 변수를 입력으로 사용하는 비선형 함수를 계산하여 얻을 수 있습니다. 이 과정은 '역전파'라는 용어로 설명됩니다. 목적 함수는 출력과 학습 데이터의 레이블 사이의 연결인 손실 함수로, 최소화되어야 합니다. 역전파는 네트워크의 매개변수(가중치)를 미세 조정하여 최적의 성능을 달성하기 위해 사용됩니다.

신경망을 '훈련'시킨다는 것은 신경망이 의도한 기능을 더 잘 수행할 수 있도록 특징 표현에 대한 지식을 습득하는 과정을 의미합니다. 컨볼루션 신경망은 특히 컴퓨터 비전 작업에서 성공적입니다. 이들은 관찰할 수 없는 많은 구성 요소 중에서 매개변수를 나누는 전략을 사용합니다. 하지만 충분한 훈련 인스턴스가 없으면 제대로 작동하기 어렵습니다. 멀티태스크 학습은 서로 유사한 여러 작업에서 성능을 개선하는 데 초점을 맞춘 학습 방법입니다. 이 방법은 여러 작업의 중간 특징 표현을 단일 라이브러리로 결합하여 학습 알고리즘이 다양한 작업의 겹치는 요소를 더 잘 활용할 수 있게 합니다.

전이 학습은 '소스 작업'과 '목표 작업'이 존재한다는 개념을 전제로 합니다. 목표 작업을 완료하는 데 필요한 지식이나 정보는 소스 작업에서 목표 작업으로 전달됩니다. 이는 학습 알고리즘에 새로운 작업을 적용할 때 기존 지식을 활용하는 방법입니다.

우리의 목표는 다음과 같은 것이 되어야 합니다. 전이 학습(Transfer Learning)은 한 작업에서 습득한 특징 표현의 지식을 다른 작업으로 전달하는 과정을 의미합니다. 이미 학습된 정보를 다른 상황에 적용하는 다양한 전이 학습 전략들이 존재합니다. 또한, 멀티태스킹(Multi-tasking) 방법을 알고 이를 다른 문맥으로 옮길 수 있는 능력 사이에는 밀접한 관련이 있습니다. 멀티태스크 학습(Multi-task Learning)의 목적은 엄밀히 말해 여러 작업을 동시에 수행하여 성능을 최적화하는 것이지만, 이를 전이 학습의 한 분야로 보는 견해도 있습니다. 앞서 언급한 지도 학습(Supervised Learning) 기반의 특징 학습 방법들은 잠재력이 있지만, 종종 많은 양의 라벨이 붙은 학습 데이터가 필요합니다. 이는 이러한 방법들이 가능성을 가지고 있음에도 불구하고, 라벨이 적을 때 이들 알고리즘이 효과적으로 작동하기 어려울 수 있음을 의미합니다. 이 책은 라벨이 부족한 상황에 초점을 맞추고 있으며, 이로 인해 다음과 같은 질문에 직면하게 됩니다. 즉, 여러분들은 비지도 학습(Unsupervised Learning) 방식으로 어떻게 특징 표현을 학습할 수 있을까요? 이 질문의 해답은 다음 챕터에서 함께 살펴보겠습니다.

2장. 딥러닝의 역사적 배경

2.1 소개

최근까지 머신러닝과 신호 처리 분야의 대부분의 알고리즘은 비정형적인 설계에 의존해 왔습니다. 이러한 설계에서는 대개 1~2개의 비선형 특징 변환 레이어만을 통합할 수 있었습니다. 얕은 아키텍처의 예로는 가우스 혼합 모델(GMM), 조건부 랜덤 필드(CRF), 최대 엔트로피(MaxEnt) 모델, 서포트 벡터 머신(SVM), 로지스틱 회귀, 커널 회귀, 단일 숨겨진 레이어를 가진 다층 퍼셉트론(MLP) 등이 있습니다. SVM은 커널 방법의 사용 여부에 따라 특징 변환 레이어를 포함하거나 포함하지 않는 얕은 선형 모델입니다.

자연 신호를 포함하는 복잡한 실제 애플리케이션, 예를 들어 인간의 목소리, 자연스러운 소리와 언어, 자연스러운 이미지와 시각적 상황 등을 처리할 때 얕은 구조는 한계를 가질 수 있습니다. 이는 얕은 아키텍처가 데이터를 모델링하고 표현하는 능력에 제약이 있기 때문입니다. 그러나 얕은 설계는 간단하거나 명확한 해결책이 가능한 다양한 문제를 해결하는 데 유용합니다. 인간의 시각 및 청각 정보 처리 시스템은 복잡한 구조를 추출하고 풍부한 감각 입력으로부터 내부 표상을 생성하기 위해 심층 구조의 필요성을 시사합니다.

예를 들어, 인간의 음성 생성 및 인식 시스템은 파형 수준에서 언어 수준으로 정보를 전송하는 계층화된 구조를 가지고 있습니다. 인간의 시각 시스템도 계층 구조를 가지고 있으며, 이는 '인식'뿐만 아니라 '생성' 측면에서도 중요합니다. 더 효율적이고 효과적인 딥러닝 알고리즘을 개발할 수 있다면, 현재 사용되는 딥러닝 알고리즘은 자연 신호 처리 분야에서 큰 발전을 이룰 수 있을 것입니다.

딥 러닝의 개념은 연구자들이 인공 신경망을 연구하면서 발전했습니다. 피드포워드 신경망과 다층 퍼셉트론(MLP)은 심층 아키텍처의 예입니다. 심층 신경망(DNN)은 이러한 모델의 한 형태입니다. 역전파(BP)는 신경망의 매개변수를 학습하는 기법으로, 1980년대에 인기를 얻었습니다. 그러나 BP만으로는 제한된 수의 숨겨진 레이어를 가진 네트워크에서는 좋은 성능을 발휘하지 못했습니다.

심층 신경망의 학습 과정을 어렵게 만드는 주요 요인은 비볼록 목적 함수에서 발생하는 국소 최적화 및 기타 최적화 장벽입니다. 대부분의 경우, BP의 시작 위치는 무작위로 선택되며, 국소 경사도에 대한 데이터를 사용하여 결정됩니다. 배치 모드 또는 확률적 경사 하강 BP 기법이 최적이 아닌 국부 최소값에 갇히는 경우는 드뭅니다.

현재 머신 러닝과 신호 처리 분야에서는 볼록 손실 함수를 가진 얕은 모델이 주요 연구 대상입니다. 이러한 모델의 예로는 SVM, CRF, MaxEnt 모델 등이 있습니다. 이러한 관심의 변화는 최근에 일어났습니다. 이러한 모델은 전 세계적으로 가능한 최상의 솔루션을 얻을 수 있도록 모델링 용량을 효율적으로 활용합니다. 그럼에도 불구하고 신경망과 그 진화에 대한 연구는 계속되고 있으나, 과거에 비해 규모와 영향력이 제한적입니다. 비지도 학습 기법은 어느 정도 효과적이지만, 충분히 성공적이라고 할 수는 없습니다.

심층 모델과 관련된 최적화의 어려움을 시험하는 것은 중요한 과제입니다. 이 장에서 살펴본 심층 생성 모델의 하위 유형 중 하나는 심층 신념 네트워크(DBN)입니다.

제한된 볼츠만 머신(RBM)을 쌓아 올려 분산 볼츠만 네트워크, 즉 DBN을 생성할 수 있습니다. 반복적으로 자기 자신을 구축하는 탐욕적 학습 알고리즘은 DBN을 구성하는 핵심 요소입니다. 이 기법을 적용하여 DBN의 가중치를 최적화하는 데 필요한 시간은 네트워크의 크기와 깊이에 따라 증가합니다. 독립적인 연구에 따르면, 올바르게 구성된 DBN으로 다층 퍼셉트론(MLP)의 가중치를 초기화하면 무작위 가중치를 사용한 경우보다 우수한 결과를 얻을 수 있습니다. 이러한 결과는 아래 그래프에서 확인할 수 있습니다. 심층 신념 네트워크(DBN)는 숨겨진 레이어가 많은 MLP로, 비지도 DBN 사전 학습을 통해 학습된 후 역전파를 통해 미세 조정됩니다.

DBN을 사용하여 부분적으로 훈련된 네트워크는 일반적으로 DBN-DNN으로 불립니다. 이는 DBN이 DNN을 위한 훈련의 시작점이 되었기 때문입니다. 최근 몇 년 동안 연구자들은 DNN

과 DBN을 구분하는 데 보다 신중한 접근 방식을 취했습니다. 2006년에는 고유한 데이터를 제공하지 않고, 확률에 의존하지 않으며, 인간과의 상호작용을 요구하지 않는 두 가지 심층 모델이 추가로 소개되었습니다. 이 모델들은 RBM의 표준 접근 방식과는 별도로 개발되었습니다. 그 중 하나는 자동 인코더를 수정하여 탐욕적인 레이어별 학습을 사용하는 것입니다. 희소하고 완전하지 않은 데이터 기반 모델의 비지도 학습은 추가적인 선택사항이며, 이 모델은 에너지 기반으로 작동합니다. 이는 고려해야 할 또 다른 프레임워크입니다.

이 두 가지 접근법을 심층 신뢰 네트워크(DBN)와 함께 사용하면, 심층 신경망의 사전 훈련 단계에서 유용하게 활용할 수 있습니다. DBN은 여러 가지 이유로 중요하며, 훌륭한 출발점을 제공합니다. 첫째, 레이블이 없는 데이터를 시작점으로 삼아 효과적으로 활용할 수 있습니다. 둘째, 확률론적 생성 모델을 활용할 수 있습니다. 마지막으로, 생성적 사전 훈련 단계는 수백만 개의 매개변수를 가진 모델에서 발생하는 과적합 문제와 과소적합 문제를 완화하는 데 도움이 됩니다.

이는 사전 훈련 단계에서 얻은 지식이 생성적 사전 훈련 단계에서 활용되기 때문입니다. 심층 신경망의 복잡한 훈련 요구 사항이 이 두 가지 문제의 핵심일 수 있습니다. 이 문서에서는 심층 신경망이 수집할 수 있는 다양한 형태의 음성 데이터에 대한 포괄적인 설명과 함께 심층 신경망의 장단점을 분석합니다. DNN은 많은 수의 뉴런을 포함하는 숨겨진 레이어를 사용하여 모델링 능력을 향상시킬 수 있습니다. 매개변수 학습이 로컬 최적값에 멈추더라도, 뉴런 수가 많은 DNN은 여전히 효과적으로 작동할 수 있습니다.

그 이유는 네트워크의 뉴런 수가 증가함에 따라 국소 최적값 발생 가능성이 감소하기 때문입니다. 그러나 깊고 넓은 신경망을 훈련하는 것은 시스템의 컴퓨팅 리소스에 상당한 부담을 줍니다. 최근 몇 년 동안 학계에서는 심층 신경망과 광범위한 신경망 아키텍처를 본격적으로 연구하기 시작했습니다. DNN의 성공은 효과적인 학습 방법의 개발과 다양한 비선형성의 통합 등 여러 요인에 기인합니다. 크고 반복적인 훈련 집합에서 확률적 경사 하강(SGD) 방법이 가장 성공적인 적용 사례로 입증되었습니다.

SGD는 최근 비동기 모드를 사용하여 많은 수의 컴퓨터를 병렬화하거나 파이프라인을 사용하여 많은 수의 GPU를 병렬화하는데 성공했습니다. 또한, SGD는 단일 샘플이나 작은 데이터 배치에서 예상되는 노이즈가 있는 그라디언트에도 불구하고 훈련이 로컬 최적값을 벗어나는 경우가 종종 있습니다.

초기 모델이 최적화 프로세스가 시작되는 곳이라는 점을 감안할 때, 매개변수를 초기화하는 더 효율적인 방법이 더 정확한 예측으로 이어질 것입니다. 비지도 사전 훈련 기법은 현재 DNN 파라미터를 설정하는 가장 일반적인 방법입니다. 심층 신경망을 올바르게 초기화하는 데는 DBN 사전 훈련 방식 외에도 다양한 대안이 있습니다.

비지도 학습과 동등한 결과를 산출하는 대안적인 기술은 심층 신경망 사전 훈련입니다. 이 방법은 네트워크의 모든 레이어 쌍을 노이즈 제거 자동 인코더로 간주하고, 입력 노드의 무작위 하위 집합을 설정하여 네트워크를 정규화합니다. 수축형 자동 인코더는 입력의 변화에 덜 민감한 표현을 선호함으로써 이전 전략과 동일한 목표를 달성합니다. 이 외에도 스파스 인코딩 대칭 머신(SESM)이라는 접근법도 개발되었습니다.

이 머신의 구조는 개념적으로 심층 신념 네트워크(DBN, Deep Belief Network)에서 제한된 볼츠만 머신(RBM, Restricted Boltzmann Machine) 노드가 특정 용량으로 사용될 때와 유사합니다. 또한, SESM은 심층 신경망(DNN, Deep Neural Network) 학습을 시작하는 데 유용하게 적용될 수 있는 잠재력을 가지고 있습니다. 욕심 많은 계층별 학습 방식을 사용하는 비지도 사전 학습을 보완하는 지도 사전 학습은 효과적이기 때문에 차별화된 사전 학습(Discriminative Pre-training)이라고도 불립니다. 지도 사전 학습의 구현은 종종 성공적이며, 특히 많은 양의 레이블이 붙은 학습 데이터가 있을 경우 비지도 사전 학습 절차보다 우수한 성능을 보입니다.

차별화된 사전 학습 접근법의 기본 원리는 역전파(Backpropagation, BP)를 사용하여 학습되는, 단 하나의 숨겨진 층을 가진 다층 퍼셉트론(MLP, Multilayer Perceptron)에서 시작하는 것입니다. 새로운 숨겨진 층을 추가하려면 이 과정을 반복해야 합니다. 시작하기 위해서는 새로운 MLP(또는 DNN)를 구축한 후에 BP 방식을 훈련에 적용합니다.

유일한 차이점은 이제 이전 층을 사용하는 대신 새롭게 초기화된 숨겨진 층과 출력 층을 사용한다는 것입니다. 비지도 사전 학습 과정에서는 레이블이 필요 없지만, 차별화된 사전 학습 방식에서는 레이블이 필수적입니다. 음성과 시각 인식에 딥러닝을 적용하는 연구자들은 DNN이 포착하는 인간 음성과 시각 이미지의 특성을 파악하기 위한 조사를 진행했습니다. DNN이 학습한 특징 벡터(feature vectors) 간의 연관성을 조사하기 위해 차원 축소(dimensionality reduction) 기법을 활용했습니다. 연구팀은 DNN의 숨겨진 활동 벡터(activity vectors)가 다양한 규모에서 특징 벡터의 유사도 구조를 유지한다는 것을 발견했으며, 필터 뱅크(filter bank) 특징이 이러한 구현에서 가장 큰 이점을 얻는다는 결론을 내렸습니다. 이는 연구팀이 도달한 결론 중 하나입니다.

최근에 딥 컨볼루션 네트워크가 사진 입력에서 얻은 특성을 더욱 철저하게 시각화하려는 연구가 활발히 진행되고 있습니다. 이는 상향식 생성 전략을 사용하여 분류 네트워크의 반대 방향으로 작동하는 새로운 기술입니다. 심층 신경망의 유용성은 데이터를 효과적으로 추출하고 분류하는 능력에서 비롯됩니다. '하이프 사이클' 그래픽은 DNN에 대한 간결한 요약을 제공하는 데 사용되는 방법 중 하나입니다. 이 그래픽은 기술 또는 애플리케이션의 발전 과정을 시각적으로 보여줍니다.

가트너의 하이프 사이클 그래프(그림 2.1)는 기술이 시간에 따라 어떻게 발전하는지 보여줍니다. 이 그래프는 기술 트리거, 부풀려진 기대의 정점, 실망의 저점, 성숙의 다섯 단계를 통해 기술의 발전 과정을 설명합니다.

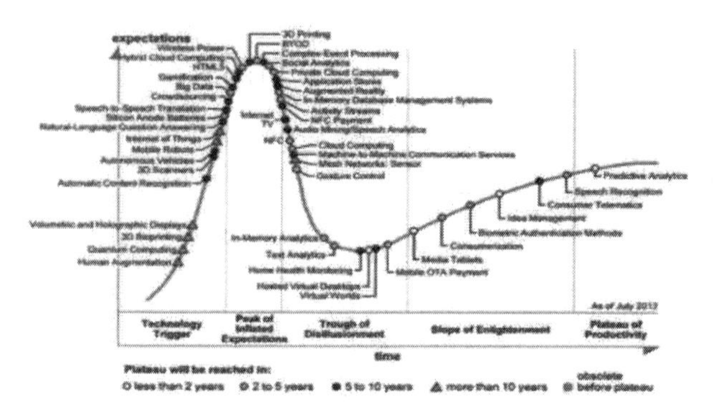

그림 2.1: 기술의 5단계를 나타내는 Gartner
하이퍼 사이클 그래프
출처: 딥러닝: 그리고 애플리케이션 데이터 수집과
처리, 2013

그림 2.2는 인공 신경망의 발전을 가트너 하이프 사이클에 묘사된 단계와 연결합니다. 이 그래픽은 인공 신경망 구축에 대한 연구에 하이프 사이클을 적용하여 얻은 결과를 보여줍니다. 이 그래프는 1980년대 말과 1990년대 초에 신경망의 '2세대'가 최고점에 도달했음을 보여줍니다.

심층 신념 네트워크(DBN)와 DBN을 훈련하기 위한 빠른 접근방식은 모두 2018년에 개발되었습니다. DBN을 사용하여 DNN을 초기화하면 학습의 효율성이 높아지고 연구가 빠르게 발전합니다. 2009년에는 대규모 산업용 음성 특징 추출 및 인식을 위해 DBN과 DNN이 처음으로 사용되었습니다.

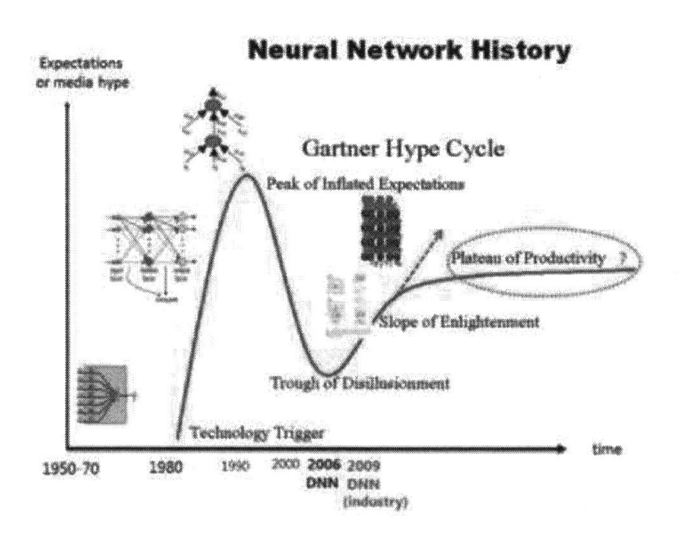

그림 2.2: 인공신경망 기술의 역사를 분석하는 데 가트너 하이퍼 사이클 그래프 적용
출처: 딥러닝: 방법과 응용 데이터 수집 및 처리의 방법과 응용. 2013

다음 장에서는 이러한 내용을 더 자세히 다룰 예정입니다. '생산성 정체' 단계는 표준 곡선보다 높은 수준에서 정점에 도달할 것으로 예상됩니다. NIST의 그림 2.3은 시간이 지남에 따른 여

러 음성 인식 기술의 발전 과정을 보여줍니다. 이 그래프는 GMM-HMM 방법을 사용하여 전체 WER 데이터 세트를 분석한 결과를 보여줍니다. DNN 기술을 사용하면 WER이 크게 감소하는 것을 볼 수 있습니다.

2.2 고전적인 방법론

이 책에서는 데이터 분류 시 일반적으로 사용되는 접근법들을 검토하고 설명합니다. 이 보고서는 다양한 주제를 다루고자 하였으나, 독자들은 이를 방법론의 완전한 목록으로 생각해서는 안 됩니다. 이는 단지 저자가 선별한, 과거 연구 중에서 가장 중요하다고 여겨지는 내용들의 개요에 지나지 않습니다. 머신러닝에서는 시스템이 데이터를 어떻게 평가하느냐에 따라 결과가 달라질 수 있습니다. 데이터 집합을 하나의 방식으로 바라보는 것은 그것을 다양한 사례들의 모음으로 간주하는 것입니다. 지도 학습(Supervised Learning) 기반의 딥러닝(Deep Learning)이 널리 퍼지기 이전에, 분류 작업은 전통적으로 두 부류로 나뉘었습니다. 이는 지도 학습 기반 딥러닝이 널리 채택되기 전의 일반적인 관행이었습니다. 작업에 착수하기 위해서는 먼저 시스템이 처리할 예제를 정량적으로 표현해야 합니다. 이것이 첫 번째 단계입니다.

예를 들어, 입력 예제 또는 특징 집합은 이미지나 비디오의 원시 픽셀 값이 될 수도 있고, 수작업으로 만들어진 또는 기계 학습을 통해 추출된 고차원의 추상화된 특성이 될 수도 있습니다. 때때로 이 두 접근법을 결합하기도 합니다. 일반적으로 입력 예는 n차원의 형태로 주어지며, 여기서 각각의 xi는 서로 다른 특성을 나타냅니다. 이는 대다수의 경우에 해당됩니다. 이 책에서는 특징 학습에 접근하는 다양한 방법과 일반적인 표현 방식에 대해 논의할 것입니다. 두 번째 단계에서는, 예제를 충분히 정의한 후에 해당 데이터를 처리하는 방법을 결정해야 합니다.

분류기는 제공된 예제에 어떤 레이블을 할당해야 하는지 결정하는 데 사용됩니다. 일반적으로 분류는 지도 학습의 한 형태로 간주되며, 이는 대부분의 환경에서 유효한 접근 방식입니다. 반면, 특징 표현은 특정한 패러다임에 국한되지 않으며, 다양한 전략이 학습의 필요성 없이도 정당화될 수 있습니다.

2.3 특징 표현 및 학습

특징은 신뢰할 수 있는 방식으로 여러 클래스를 구별할 수 있도록 추출됩니다. 이는 동일한 클래스 내에서 발생하는 변화에 대해 일반화할 수 있는 능력을 유지하면서 이루어집니다. 특징 추출 방법은 서로 상당히 다를 수 있으며, 동영상에서 동작을 분류하는 데 적용되는 엄격한 규칙은 여기에서 확인할 수 있습니다. 대부분의 특징은 수작업으로 생성되거나 비지도 학습 환경에서 학습됩니다. 이 섹션에서는 동작 분류를 위해 특별히 설계된 다양한 영역을 살펴봅니다. 특징을 보는 방법에는 글로벌 표현과 로컬 표현의 두 가지가 있으며, 어느 한 쪽이 반드시 다른 쪽보다 더 정확하지는 않습니다.

글로벌 특징은 입력 또는 관심 영역(ROI)을 전체적으로 밀도 있게 인코딩하는 특징으로, 신뢰할 수 있는 저비용의 계산 결과를 제공하는 경향이 있습니다. 그러나 이러한 특징은 현지화의 올바른 적용에 지나치게 의존할 수 있습니다. 자동화된 감지기는 해상도가 낮고 노이즈, 폐색, 원근 및 모양 편향이 발생하기 쉬운 객체에 대해 사용될 수 있습니다.

그리드 기반 방법은 전역 표현과 관련된 일부 어려움을 피할 수 있으며, 입력을 여러 지리적 및/또는 시간적 영역으로 세분화하여 로컬 환경의 특성과 무관하게 만들 수 있습니다. 로컬 특징은 원근과 외관의 변화뿐만 아니라 배경의 혼란과 폐색의 변화에도 더 잘 견딥니다. 관심 지점 감지기는 로컬 정보가 풍부한 영역을 찾을 수 있으며, 이 데이터를 사용하여 로컬 특징이 있는 영역의 위치를 결정할 수 있습니다. 코너 디텍터와 블롭 디텍터는 관심 지점을 찾는 데 자주 사용되며, 에지 디텍터와 웨이블릿 연산자는 고려할 수 있는 대안입니다. 가보르 시공간 관심점 검출기는 2차원 관심점 검출기의 3차원 대응물로 간주될 수 있습니다.

이 관점에서 영화를 볼륨(volume)에 비유할 수 있으며, "관심 지점"(interest points)은 영화의 공간적·시간적 특성에서 주목할 만한 변화가 나타나는 지점을 지칭합니다. 즉, "관심 지점"은 영화 속에서 사건이 발생하는 장소라고 볼 수 있습니다. 다른 말로 표현하자면, 어트랙션 스팟(attraction spot)은 극장의 이정표(landmark)와 비교될 수 있습니다. 특징의 집합(bag of features, BoF)과 단어의 집합(bag of words, BoW) 접근법은 최종 표현을 구성하는 과정에서 자주 사용됩니다. "단어의 집합"이라는 용어는 때때로 "BoW"로 줄여서 표현되며, 이는 관심 지점 감지기가 특정 순서 없이 많은 수의 설명을 생성하기 때문에 사용됩니다. BoF와 BoW 모두 시각적 데이터의 히스토그램을 활용하여 고차원의 중요 포인트 설명을 집약하여 전달할 수 있습니다.

먼저 클러스터링 알고리즘을 사용하여 시각적 어휘(visual vocabulary)를 생성합니다. 그 다음에는 클러스터링된 프로토타입(prototypes) 또는 기타 설명자(descriptors)와의 유사성에 따라 각 설명자에 시각적 단어를 할당합니다. 이 단계는 시각적 어휘의 정확도를 극대화하기 위해 수행됩니다. 한편, 경험적 연구에 따르면, 드물게 위치한 관심 지점을 샘플링하는 것보다 일반적으로 위치한 지역을 조밀하게 샘플링하는 것이 더 효과적이라는 것이 입증되었습니다. 따라서 전체 설명자 집합을 사전에 계산할 수 있기 때문에 BoF와 BoW의 계산이 반드시 필요한 것은 아닙니다. 그럼에도 불구하고 고밀도 샘플링은 다른 방식보다 많은 정보를 제공하기 때문에, 설명자의 양을 제한하는 기술인 BoF나 BoW를 적용할 수도 있습니다.

2.4 수작업으로 만든 특징 표현

수작업으로 만든 특징 표현은 특정 주제에 맞게 맞춤 제작되는 경우가 많습니다. 이러한 표현은 해결해야 할 문제의 특성에 크게 의존하며, 특정 도메인에 대한 깊은 지식을 필요로 할 수 있습니다. 일부는 광범위한 응용 분야에 유용하지만, 다른 일부는 효과적으로 작동하기 위해 적응이나 조정이 필요합니다. 수작업으로 만든 특징은 때때로 복잡할 수 있으므로, 이를 활용하기 위해서는 해당 분야의 전문 지식이 필요합니다.

2.5 방향성 그라데이션 히스토그램(HOG)

방향성 그라데이션 히스토그램(HOG)은 현재 널리 사용되는 그리드 기반 접근 방식 중 하나입니다. HOG 특징 설명자는 이미지의 특정 부분에서 그라데이션 방향의 발생 빈도를 계산합니다. 이 설명자는 주로 물체 인식에 사용됩니다. 각 픽셀의 그라데이션은 적절한 필터 커널을 사용하여 해당 위치의 그라데이션 크기 및 방향과 함께 계산됩니다. 컨볼루션은 이미지의 x 및 y 방향에 대한 파생 커널을 적용하는 데 사용됩니다.

2.6 스케일 불변 특징 변환(SIFT)

SIFT는 객체 식별을 위한 로컬 특징을 제공하기 위해 로컬 관심 지점 검출기와 설명자를 결합합니다. 이 과정의 첫 단계에서는 스케일 공간 표현에 가우시안 차이(DoG) 함수를 적용하여 국부적 극단에서 관심 지점을 찾습니다. 이는 다중 스케일 프로세스의 일부입니다. DoG 볼륨 함수의 국부적 최대값과 최소값은 다양한 스케일에서 각 픽셀을 이웃 픽셀과 비교하여 계산됩니다. 대비가 낮거나 에지에 가까운 키 포인트는 제외됩니다. 각 위치에서 로컬 디스크립터가 구축되고, 우세한 방향이 나머지 키 포인트의 방향을 결정합니다.

디스크립터는 각 키 포인트 주변의 16×16 영역에서 생성됩니다. 8개의 방향 구간차원과 선형 보간을 사용하여 각 4x4 하위 영역에 대한 그라데이션 히스토그램을 생성합니다. 이 히스토그램은 키 포인트를 둘러싼 영역에서 연결되어 최종 설명자를 형성합니다. 최종 설명자의 차원은 128입니다. 가우스 함수는 그라데이션의 크기에 가중치를 부여하는 데 사용되며, 설명자는 스케일과 회전에 불변합니다.

SIFT의 강점은 빛의 변화와 국부적인 아핀 왜곡에 견딜 수 있는 능력에서 비롯됩니다. 대부분의 경우, SIFT 설명자는 스케일 불변의 희소한 키 위치에서 계산됩니다. 그러나 고밀도 SIFT와 같은 다른 접근 방식도 있으며, 이는 객체 식별 작업에 효율성과 성능을 모두 향상시킬 수 있습니다. SURF는 SIFT와 기능적으로 유사하지만, 적분 이미지 표현과 헤세인 블롭 검출기의 결정자를 사용하여 관심 영역을 찾고, Haar 계열의 웨이블릿 응답을 사용하여 방향과 주요 지점을 설명합니다. SURF는 일부 상황에서 SIFT보다 더 효과적이고 정확할 수 있습니다.

2.7 동작 표현

이 책에서는 특징(Feature)을 분류(Classification)하는 데 사용할 수 있는 다양한 표현 방식(Expression Methods)을 살펴봅니다. 모든 것을 다 설명할 수는 없지만, 동영상(Video)을 기반으로 한 액션(Action) 분류에 특히 적용되는 기법들에 대한 개요를 제공합니다. 비디오에서 시간적 정보(Temporal Information)를 명시적으로 추출하는 것을 선호하는 다른 연구자들과는 달리, 일부는 공간적 정보(Spatial Information)를 얻기 위해 프레임(Frame) 단위로만 추출하는 방법을 택합니다. 이 시나리오에서는 시간적 영역의 변화가 일반적으로 분류 단계(Classification Stage)에서 처리되지만, 시간 정보를 완전히 무시하고 공간적 표현에만 의존하는 경우도 있습니다. 이 경우, 시간적 영역의 변화에 대한 고려는 대개 분류 과정의 일부로 해결됩니다. 첸(Qian)은 배경 에이전트의 자세(Posture) 윤곽을 먼저 식별한 후에, 검색된 별 골격(Star Skeleton)을 사용했습니다. 이 과정에서 첸은 배경 에이전트(Background Agent)를 활용하였습니다.

그러나 형태(Form)를 특성화할 때, 실루엣(Silhouette)과 윤곽선(Contour)은 원근감(Perspective)의 변화와 폐색(Occlusion)에 민감할 수 있습니다. 에프로스(Efros)는 에이전트(Agent)로 둘러싸인 박스 내부에서 광학적 흐름(Optical Flow)을 모니터링하여 운동 경기 스포츠 영상(Sports Video)에서 일어나는 활동을 식별할 수 있었습니다. 광학 흐름은 한 프레임에서 다음 프레임으로의 속성 변화를 추적하는 것을 포함하며, 비교 대상 이미지 간의 변화가 모션(Motion) 때문이라고 가정합니다. 이는 조명 조건(Lighting Conditions)과 같이 프레임 간 변화를 일으킬 수 있는 다른 요소들이 아니라고 보는 것입니다.

옵티컬 플로우는 배경 제거 없이도 동적 배경과 카메라 움직임에 의한 모션 노이즈를 줄이는 데 도움이 됩니다. 이는 카메라로 인한 움직임을 최소화함으로써 달성됩니다. 폴라노와 저는 서로 겹치지 않는 여러 지점에서 광학 흐름을 축적하는 그리드 기반 전략을 사용했습니다. 수브라마니아와 저는 인간 중심의 바운딩 박스에 다양한 그리드 디자인을 적용하여 유사한 작업을 수행했습니다. 특히, 이러한 설계의 효과를 조사하기 위해 이 작업을 수행했습니다. 특징 벡터를 구성하는 초기 단계는 각 그리드 셀 내에서 발생하는 평균 광학적 흐름을 계산하는 것이었습니다. 또한, 공간과 시간을 혼합하는 방법을 사용하여 정보를 인코딩하는 추가적인 시도가 있었습니다.

보빅과 그의 동료들은 배경이 제거된 여러 프레임을 하나의 정적인 2차원 표현으로 통합하여 공간 및 시간 데이터를 하나의 이미지로 통합하는 모션 에너지 이미지(MEI)와 모션 히스토리 이미지(MHI)를 사용했습니다. '모션 이미징'은 이러한 이미지 범주에 적용될 수 있습니다. 고렐릭 등은 에이전트의 위치와 역학을 묘사하기 위해 여러 프레임을 연결하여 시공간 볼륨(STV)을 구성했습니다. 비지도 학습은 학습자가 인간 감독자나 외부 정보 소스의 안내 없이 데이터 세트의 구성에 대한 관련 측면을 스스로 학습하는 머신 러닝 방법입니다. 이 방법의 목적은 확률 분포 p(x)에 대한 지식을 명시적 또는 암시적 방식으로 습득하는 것입니다.

비지도 알고리즘은 가능한 한 많은 정보를 유지하면서 입력의 표현을 간소화하려고 합니다. 이는 정확도를 높이기 위한 목적입니다. 비지도 학습 알고리즘은 학습 과정에서 라벨이 필요 없으며, 라벨이 전혀 없거나 약하게만 표시된 데이터도 활용할 수 있습니다. 하지만 비지도 표현은 항상 클래스를 정확하게 구분할 수 있다는 보장은 없습니다. 클러스터링 알고리즘은 비지도 학습의 하위 집합으로, 서로 비슷한 샘플을 같은 카테고리로 그룹화합니다.

2.8 K-최근접 이웃과 의사 결정 트리

K-최근접 이웃(KNN) 방법론은 가장 가까운 이웃을 찾기 위한 비모수적 접근 방식으로, 분류를 간단한 프로세스로 변환합니다. 적절한 분류는 특징 공간에서 가장 가까운 이웃 k개의 과반수

투표로 결정됩니다. 이 이웃들은 훈련 세트에서 선택됩니다. 따라서 고려해야 할 요소는 k의 값과 주변 영역에 대한 설명뿐입니다. 매개변수 k의 값을 조정하여 모델의 유연성을 제어할 수 있습니다. 분류는 사용되는 거리 측정 방법에 따라 다양한 결과를 제공합니다. 고렐릭은 1-NN 분류기와 유클리드 거리 측정법을 사용하여 가장 정확한 결과를 얻었습니다. 이웃의 근접성을 고려하여 각각에 가중치를 부여합니다. 이는 물리적으로 가까운 이웃의 기여도가 멀리 떨어진 이웃보다 더 크다는 것을 의미합니다. 그러나 특정 수준의 정확도를 달성하기 위해 필요한 컴퓨팅 노력은 훈련 집합의 크기와 직접적으로 관련이 있습니다. 따라서 클러스터링, 데이터 차원 축소, 지리적으로 가장 가까운 지점을 찾는 방법 등이 결합되어 널리 사용됩니다. KNN 알고리즘은 구현이 간단하며, 입력 영역은 의사 결정 트리 알고리즘에 의해 불연속적인 클래스 섹션으로 세분화됩니다.

트리(Tree)의 노드(Node)는 결정을 내리기 전에 고려된 여러 요소를 상징하며, 트리 자체는 그 결정 과정을 반영합니다. 그래프(Graph)의 개별 노드와 네트워크(Network)의 하위 노드(Sub-node)로 표현되는 하위 영역(Sub-area)은 각각 입력

(Input)의 개별 구성 요소를 나타냅니다. 리프 노드(Leaf Node)는 가지의 끝에 위치하는 노드 또는 트리의 가장자리에 위치한 노드로, 트리의 각 리프 노드는 입력의 다른 영역과 중첩되지 않는 별도의 독립적인 세그먼트(Segment)를 나타냅니다. 대부분의 경우에서 출력 클래스(Output Class)로부터 리프 노드까지의 매핑(Mapping)은 상당히 정확합니다. 입력 공간(Input Space)을 여러 개의 더 작고 컴팩트한 섹션으로 나누는 과정에서 다양한 알고리즘(Algorithm)이 자주 활용됩니다. 이를 위해 최적의 분할(Optimal Split)을 찾을 때까지 다양한 위치에서 노드를 활용합니다.

분류(Classification)의 맥락에서 비용 함수(Cost Function)는 종종 정보 이득(Information Gain)을 의미하며, 각 노드가 입력 데이터를 해당 클래스로 얼마나 효과적으로 분리하는지를 평가하여 오탐(False Positive)과 미탐(False Negative)의 감소를 극대화하는 것이 그 목적입니다. 이는 정보 이득 계산을 통해 수행됩니다. 최대 트리 깊이(Max Tree Depth) 또는 각 노드에 필요한 최소 훈련 인스턴스 수(Minimum Number of Training Instances per Node)와 같은 적절한 중지 조건

(Stopping Criteria)을 설정하는 것은 알고리즘의 성능을 제한하는 방법 중 하나입니다. 또 다른 방법으로는 최대 트리 높이(Max Tree Height)를 설정하는 것도 있습니다. 예측 과정(Prediction Process)에서는 의사 결정 경계(Decision Boundary)의 축에 맞춰 정렬되는 여러 개의 분할(Axis-Aligned Splits)이 필요하며, 이는 임의의 선형 의사 결정 함수(Linear Decision Function)에도 적용됩니다. 이러한 접근은 현실에서 선택지가 제한되어 있는 것을 고려할 때 매우 중요합니다.

이는 의사 결정 경계는 종종 직선 형태를 취하는데, 이는 선형적인 특징 조합으로 구성된 조건부 결정의 누적 효과가 복잡한 트리 구조를 생성할 수 있기 때문입니다. 이는 조건부 평가가 특징의 선형 조합으로 보완되는 경우에도 마찬가지입니다. 의사 결정 트리는 일련의 규칙으로 명확하게 특징 지워지며, 의사 결정 기술에 추가적인 유연성을 제공합니다. 이것이 의사 결정 트리의 가장 유용한 측면 중 하나일 것입니다. 의사 결정 트리와 K-최근접 이웃 기법은 각각의 고유한 한계에도 불구하고 간단하고 이해하기 쉬워 문제 해결을 위한 훌륭한 도구가 될 수 있습니다.

2.9 효율적인 스파스 코딩 알고리즘

계산 신경과학 분야에서 처음 등장한 '스파스 코딩' 방법은 입력을 압축적으로 표현하는 데 사용됩니다. 레이블이 없는 데이터에서도 데이터의 추상적인 요소를 포착하는 기본 함수를 학습할 수 있습니다. 예를 들어, 시각 시스템의 뉴런 수용 영역이 실제 이미지에 적용될 때 스파스 코딩 접근법이 유사한 역할을 합니다. 스파스 코딩은 음성이나 향기와 같은 다른 자연 입력에도 적용되며, 국소화된 기반을 제공합니다. 스파스 코딩은 주성분 분석(PCA)과 같은 다른 비지도 학습 방법과 달리 불완전한 기저 집합을 학습하는 데 사용됩니다. 이는 기저의 수가 입력 차원보다 많을 수 있는 상황에서도 적용됩니다.

스파스 코딩 접근법은 기저 간의 억제를 모방하여 기저의 활성화를 희소하게 만드는 데 사용됩니다. 이는 실제 뉴런에서 관찰되는 유사한 특성을 모방하는 것입니다. 스파스 코딩은 시각 시스템의 실행 가능한 모델로 간주될 수 있으며, 이는 연구를 통해 확인되었습니다. 높은 계산 비용으로 인해 스파스 코딩의 보급이 제한되어 왔지만, 광범위하고 정밀한 표현을 마스터하는 과정은 어렵고 시간이 많이 걸립니다. 이 섹션에서는 변수의 두 하위 집합에 대한 최적화를 번갈아 가며 효율적인 스파스 코딩 알고리즘 클래스를 개발할 것입니다. 이를 통해 스파스 데이터를 효율적으로 코딩할 수 있습니다.

최적화 문제의 볼록성은 변수의 각 하위 집합에 대해 중요한 문제를 특성화하는 데 사용됩니다. 첫 번째 변수 하위 집합과 관련된 최적화 문제는 L1 정규화 최소제곱 문제이고, 두 번째 변수 그룹과 관련된 최적화 문제는 L2 제약 최소제곱 문제입니다. 각 전략에 대한 설명과 함께 각 전략의 효과에 대한 경험적 분석을 제시합니다. 우리의 알고리즘은 현재 사용 가능한 알고리즘보다 훨씬 빠르며, 대량의 불완전 학습을 효율적으로 처리할 수 있습니다. 이는 실제 이미지를 훈련 데이터로 사용한 결과입니다.

우리는 학습된 기저가 고전적인 수용 영역과 일반적으로 연결되지 않는 자극에 의해 변화될 수 있음을 입증했습니다. 이는 스파스 코딩이 V1 뉴런에서 이러한 이벤트의 발생에 대한 설명을 제공할 수 있는 잠재력을 가지고 있음을 나타냅니다. 또한, 우리는 학습된 압축 표현이 더 높은 수준의 속성을 포착할 수 있으며, 이는 감독된 분류 작업에 사용될 수 있음을 보여주었습니다.

2.10 자연 이미지 기반의 불완전한 학습 방법

효율적이며 시간을 절약하는 전략을 적용함으로써, 포괄적인 자연 사진 데이터셋을 구축하는 데 성공했습니다. 예를 들어, 1,024개의 기본 데이터셋(Base Set)을 각각 14×14 픽셀 크기로 약 2시간 만에 학습할 수 있었으며, 2,000개의 확장된 데이터 컬렉션(Base Collection)을 각각 20×20 픽셀 크기로 약 10시간 만에 학습했습니다. 여기서 언급된 숫자는 각 데이터 포인트의 픽셀 크기를 나타냅니다. 학습 과정에서는 라그랑주 듀얼 포뮬레이션(Lagrangian Dual Formulation)에 의존했으며, 학습 계수(Learning Coefficient)를 정의할 때는 L1 스파시티(Sparsity)를 적용한 피처 사이닝(Feature Signing)과 엡실론-스파시티(Epsilon-Sparsity)를 적용한 켤레 그라디언트(Conjugate Gradient) 방법을 사용했습니다.

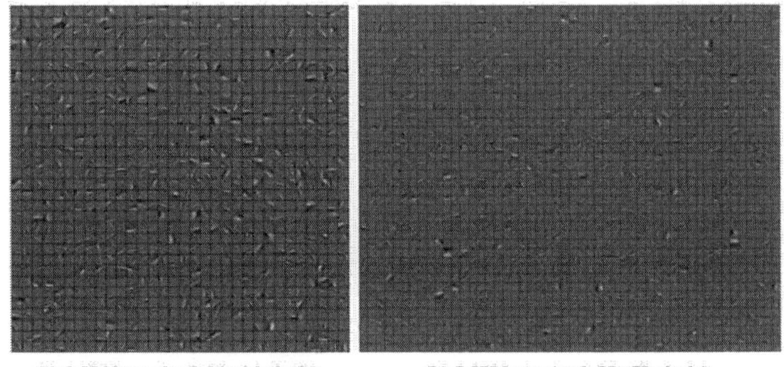

그림 2.3: 학습된 불완전한 자연 이미지 기반.
출처: 희소 계층적 표현을 통한 비지도 특징 학습 데이터 수집 및 처리, 2010

두 기본 세트는 각각 분석했을 때 서로 질적으로 동등한 수용 필드(Receptive Field)를 나타냈습니다. 엡실론-스파시티 함수와 함께 각 반복 사이클에서 무작위로 선택된 4,000개의 입력 이미지 패치를 사용하여 학습한 결과, 그림 2.3에 나타난 기반을 마련할 수 있었습니다. 그러나 기저 학습(Basis Learning)을 위한 경사 하강법(Gradient Descent Approach)을 사용하였을 때는 하루 종일 실행해도 유용한 결과를 얻지 못했습니다.

2.11 복잡한 신경과학 현상 재현

단순 선형 모델(Simple Linear Model), 즉 입력의 선형 함수로 반응하는 모델은 V1 영역의 뉴런들이 보여주는 다양하고 복잡한 반응 양상을 충분히 설명하기에는 부족합니다. 이러한 모델은 입력과 결과 사이의 직접적인 선형 관계를 가정합니다. '엔드 스톱'(End-Stopping) 현상은 많은 시각 뉴런에게서 관찰되는데, 이는 막대기의 길이가 최적화되면서, 막대기 이미지가 적절히 정렬되고 위치가 결정되면 뉴런의 활성화가 멈추는 현상을 말합니다. '끝 시작'(End-Starting) 현상은 막대기의 길이가 최적화되었을 때, 즉 뉴런이 막대기의 길이가 최대 잠재력에 도달했다고 판단했을 때 발생하는데, 만약 뉴런이 막대기의 길이가 이상적인 조건에 비해 과도하다고 판단하면 이 현상이 나타납니다.

염기(뉴런) 간의 상호 작용(억제)은 염기(뉴런)의 활성화를 희소화하는 스파스 코딩을 통해 정의될 수 있습니다. 이 방법을 사용하면 더 불완전한 염기를 활용하여 이러한 현상을 실험할 수 있습니다. 중심-주변 비고전적 수용장 효과는 지리적으로 서로 가까운 뉴런 사이의 억제를 담당하며, 이 뉴런들은 서로 가까이 위치해 있습니다. 스파스 코딩 전략을 활용하여 실제 이미지에서 매우 과완전한(4배) 염기를 학습함으로써, 이전 연구에서 추론된 스파스 코드가 비고전적 수용 필드 서라운드 억제뿐만 아니라 엔드 스톱을 나타낸다는 사실을 입증했습니다.

이를 위해 스파스 코딩 방법론을 활용했습니다. 실제 사진에서 얻은 상당히 불완전한(4배) 기본 사진에 대한 훈련이 이 목표를 성공적으로 달성하는 데 핵심적인 역할을 했습니다. 그 결과, 스파스 코딩은 뉴런에서 유사한 사건이 계속 발생하는 이유를 부분적으로 설명할 수 있게 되었습니다.

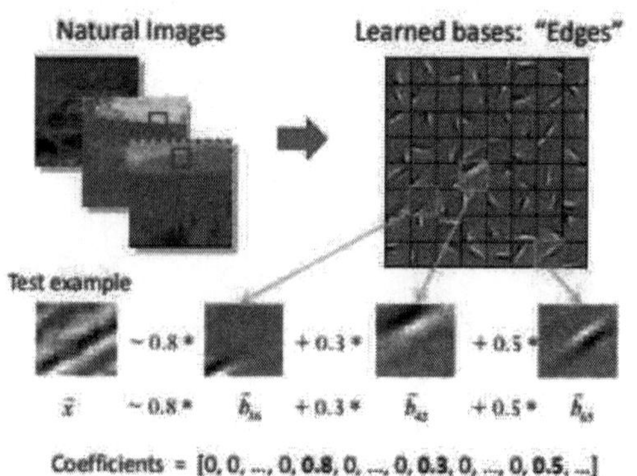

그림 2.4: 자연 이미지에 적용된 스파스 코딩 그림. 왼쪽 상단에서 작은 빨간색 사각형은 자연 이미지에서 무작위로 샘플링한 14x14 이미지 패치를 나타냅니다.
출처: 희소 계층적 표현을 통한 비지도 특징 학습 데이터 수집 및 처리, 2010

2.12 비지도 학습

최근 몇 년 동안 완전 비지도 학습 알고리즘 개발을 위한 많은 연구가 이루어졌습니다. 이러한 방법은 시각 환경의 유익한 측면을 학습하려는 시도입니다. 도소비츠키와 그의 동료들은 각각의 고유한 샘플을 별도의 클래스처럼 처리하여 CNN 아키텍처를 훈련합니다. 각 클래스의 품질을 개선하기 위해 해당 클래스에 속하는 샘플에 데이터 변환을 적용합니다. 하지만 이 전략은 대규모 데이터 세트에는 확장하기 어렵습니다. 또한, 저희는 작업에서 더 깊은 표준 구조를 사용합니다.

제너레이티브 모델은 잠재 공간과 사진 공간 사이의 매개변수화된 매핑을 찾도록 지시받아 새로운 이미지를 생성합니다. 자동인코더는 이 매핑을 제공하며, 전체 훈련 과정에서 컨볼루션 네트워크와 합성곱 네트워크는 재구성 목표와 함께 훈련됩니다. 네트워크가 입력의 의미적 표현을 구성할 필요는 없지만, 적대적 생성 네트워크(GAN)에 대한 연구는 생성기와 판별기가 적대적 환경에서 경쟁하는 방식에 초점을 맞춥니다.

생성기(GAN, Generative Adversarial Network)는 잠재 공간(latent space)을 구성하는 벡터를 활용해 이미지를 생성하는 데 사용됩니다. 이후, 이미지가 데이터 세트에서 온 것인지, 아니면 생성기에서 생성된 것인지를 구분하는 역할은 판별자(discriminator)에게 맡겨져 있으며, 이는 판별자의 주요한 업무 중 하나입니다. 이 전략에서 생성기는 판별자를 속여 가능한 한 현실감 있는 이미지를 만들도록 동기를 부여받습니다. 잠재 공간이 데이터 분포의 의미 있는 변화를 잡아낼 수 있다는 사실은 많은 연구를 통해 증명되었으며, 이는 중요한 발견입니다. 이러한 연구들은 생성기와 판별기 모두 각각 학습된 표현(representations)의 예로, 이들 표현은 다양한 시각적 작업에 적용될 수 있습니다. 하지만, 성능은 아직 만족스러운 수준은 아닙니다.

또한, 도나휴(Donahue)와 듀물랭(Dumoulin)의 접근법은 초기 GAN 모델의 각 버전에 인코더(encoder)를 포함시킵니다. 이 인코더는 주어진 사진을 바탕으로 잠재 공간의 의미적 표현을 지능적으로 추정하는 역할을 합니다. 즉, 생성기의 역매핑(inverse mapping)에 대한 지식을 습득하여 다른 시스템에서 생성된 것과 동등한 수준의 시각적 특징을 생성할 수 있도록 합니다. 듀물랭 등과 달리, 도나휴 등은 ImageNet 분류 및 PASCAL VOC의 분류, 감지(detection), 분할(segmentation) 등 일반적인 컴퓨터 비전 태스크에서의 성능을 보여줌으로써 인코더가 학습한 특징의 질을 평가할 수 있습니다.

클러스터링(clustering)과 표현 학습(representation learning)

에 있어서, 자기 조직화(self-organizing)를 통해 특정 인스턴스와 프로토타입(prototypes) 간의 상관관계를 설정할 수 있습니다. 이러한 프로토타입은 경쟁 학습(competitive learning) 과정을 통해 훈련되어, 입력 데이터가 위치하는 공간의 위상학적(topological) 특성과 가장 잘 부합하도록 조정됩니다. 이 과정을 통해 무감독 학습(unsupervised learning) 방식으로 데이터의 기본적인 표현이 생성됩니다. 데이터 마이닝(data mining)을 목적으로 클러스터링을 수행할 때, 데이터 자체보다는 프로토타입을 분석의 기초로 활용하는 것이 바람직합니다. 비슷한 맥락에서, 이 방법을 통한 클러스터링은 원본 이미지에 직접 적용되기보다는, 보다 중간 단계의 표현에 적용됩니다. 클러스터링을 정규화(normalization) 접근법으로 사용할 경우, CNN(Convolutional Neural Network)의 훈련에 유용하게 적용될 수 있으며, 이는 네트워크 전반에 걸쳐 다양한 조각들이 다양한 계층적 수준에서 어떻게 그룹화되는지 분석하는 데 도움이 될 수 있습니다.

공간 클러스터링은 다양한 잠재적 위치와 샘플에 걸쳐 특정 계층의 픽셀을 그룹화하는 과정입니다. 반면, 채널 공동 클러스터링을 사용하면 여러 특징 맵, 즉 채널을 구성할 수 있습니다. 이 특징 맵들은 단일 레이어 내에 포함됩니다. 본 연구에서는 전체 데이터 세트에 대해 CNN이 생성한 모든 표현을 그룹화하는 과정을 '샘플 클러스터링'이라고 합니다. 하지만 클러스터링 자체만으로는 네트워크 가중치 학습에 충분하지 않습니다.

이와는 반대로, 표준 자동 인코더 손실에 클러스터링 정규화 항을 추가하는 것은 Liao와 그의 동료들이 자동 인코더를 사용한 비지도 학습에 적용한 방법입니다. 이들은 비교적 작은 데이터 세트를 사용하여 이 방법의 성공 여부를 평가합니다. 일부 연구자들은 CNN 특징과 이미지 클러스터를 학습하기 위해 클러스터링 손실에 의존합니다. 이 접근법은 클러스터링 단계와 훈련 단계를 반복적으로 진행하는 것을 포함합니다. 첫 번째 기법은 네트워크에서 사용할 수 있는 표현의 특정 클러스터링을 최적화하는 데 중점을 둡니다.

두 번째 구성 요소는 네트워크가 전통적인 감독 환경과 유사한 방식으로 작동하도록 훈련하는 것입니다. 응집 클러스터링은 대규모 데이터에는 효과적이지 않은 것으로 밝혀졌습니다. 이 클러스터링은 많은 작은 클러스터에서 시작하여 점진적으로 큰 클러스터로 결합됩니다.

차별적 클러스터링은 데이터 클러스터링을 최적화하여 분류자 f를 훈련하기 위한 의사 라벨로 사용할 때 최상의 결과를 제공합니다. 이 방법은 데이터를 분리하는 데 필요한 손실 값에 따라 결정됩니다. 문자 f는 선형 분류기를 나타낼 수 있으며, 볼록 완화는 제시된 문제에 대한 해결책을 찾는 데 사용됩니다. 모든 샘플이 같은 클러스터에 그룹화되는 붕괴 문제를 방지하기 위해 제한이 필요합니다.

이 프레임워크는 개체 검색 문제에 대한 해답을 구성하는 데 사용되었습니다. Bojanowski와 그의 동료들은 차별적 클러스터링을 사용하여 심층 컨볼루션 신경망을 훈련하는 작업을 수행했습니다. 클러스터는 특징 공간의 구에 균등하게 분산된 고정된 저차원 대상의 집합으로 구성됩니다. 분류자 f는 CNN이며, 네트워크는 대상을 레이블로 사용하여 훈련되고 각 표현은 클러스터에 할당됩니다. 이 과정을 통해 이미지 표현 간의 차별화를 높일 수 있습니다.

2.13 자기 지도 학습(Self-Supervised Learning)

자기 지도 시스템에서는 사람이 수동으로 추가했던 라벨(label) 대신 '의사 라벨'(pseudo-label)을 사용합니다. 이는 실제 라벨을 대체하는 과정입니다. 이 과정은 네트워크에 해결해야 할 대리 문제(proxy task)를 제공함으로써, 보조 정보(auxiliary information) 혹은 원시 픽셀(raw pixels)에서 직접 추출할 수 있는 신호를 활용하는 방식으로 이루어집니다. 대리 문제를 효율적으로 해결하기 위해서는, 이미지에 표시된 요소들의 인식뿐만 아니라 상황에 대한 의미론적 이해(semantic understanding)가 필요합니다. 이 방식은 네트워크가 높은 수준의 특성(high-level attributes)을 학습할 수 있는 동기를 부여하며, 그 결과 네트워크의 지속적인 개선이 가능합니다.

하지만, 이 방법은 구체적인 대리 작업을 정의하기 위해 특정 지식이 요구되기 때문에 주제에 따라 다를 수 있습니다. 최근 몇 년간 다양한 대리 작업이 제안되었습니다. 다음 단락에서는 이 주제들 중 몇 가지를 요약할 것이지만, 모든 내용을 다루진 않습니다. 대부분의 연구자들은 학습된 기능의 의미적 질(semantic quality)과 이전 가능성(transferability)을 평가하기 위해 표준 PASCAL VOC 벤치마크(benchmark)를 사용해왔으며, 이는 우리의 접근 방식과 매우 유사합니다. Pathak 등은 비디오에서 추출한 움직임을 활용하여 비지도 분할(unsupervised segmentation)을 구현하였습니다. 이후, 합성곱 신경망(Convolutional Neural Network, CNN)을 훈련하여 이미지를 기반으로 이러한 분할을 예측할 수 있었습니다. Pathak 등은 1억 명의 사용자가 있는 Yahoo와 Flickr에서 수집한 2억 5천만 개의 동영상과 160만 장의 이미지를 사용했습니다.

실험 결과에 따르면, 이 전략은 여러 작업을 동시에 수행하면서 정보를 전달하는 데 매우 효과적입니다. 또한, PASCAL VOC 2012 객체 인식(object detection) 태스크에서 저조도 상황(low-light conditions) 학습 결과도 보고합니다. 이는 훈련 데이터의 부족을 시뮬레이션한 것으로, 연구자들은 이 결과를 상세히 설명합니다. 한편, 색상 채널을 추정하는 것은 가장 기반의 방법(pose-based approach)으로 어려움을 겪을 수 있습니다. 색상 공간(color space)에 따라 각 픽셀의 확률 분포

(probability distribution)를 학습하는 것이 최종 목표입니다. 추가적으로, Zhang 등은 ImageNet에 적용할 수 있는 일반화 작업(generalization task)을 제안합니다. 이 과제를 수행하기 위해서는 여러 개의 고정된 컨볼루션 레이어(fixed convolutional layers) 위에 선형 분류기(linear classifier)를 훈련시켜야 합니다. 이러한 종류의 평가는 네트워크가 우수한 중간 표현을 얻기 위해 얼마나 많은 용량(capacity)을 확장할 수 있는지 조사하는 데 도움이 됩니다.

탐색 과정에서 이미 특정 배열을 활용했으며, 책의 뒷부분에서 실험 결과를 제공할 예정입니다. 파탁 등은 주변 이미지 영역으로부터 이미지 영역을 생성하기 위해 컨볼루션 신경망(CNN)을 훈련시키는 방법을 제안했습니다. 이는 다른 데이터 채널 집합을 기반으로 한 데이터 채널 집합을 예측하는 것과 유사합니다. 재구성 손실은 분포의 평균을 추정하는 데 사용되지만, 적대적 손실은 더 선명하고 현실적인 결과를 위해 사용됩니다. 샴 신경망은 동일한 구조와 가중치를 가진 여러 신경망을 하나로 결합한 것으로, 레이블을 비교 측정값으로 대체하여 가중치에 대한 지식을 얻을 수 있습니다.

아그라왈 등은 비디오의 일관성을 분석하여 카메라 움직임을 파악했습니다. 그들은 레이블이 제한된 상황에서 새로운 과제를 해결할 수 있는 '로우 샷 학습'의 가능성을 발견했습니다. 저희 연구의 목표는 제한된 데이터 포인트를 사용하여 모델의 성능을 조사하는 것입니다. Doersch는 야후/플리커의 이미지 저장소에서 선별한 사진으로 네트워크를 사전 훈련했습니다. 이 연구는 특정 건축 디자인의 얕은 네트워크와 깊은 네트워크를 비교하는 데 유용합니다.

무작위로 시작된 네트워크에서도 특정 신호를 포함하는 패치를 얻을 수 있다는 사실을 발견했습니다. 이는 훈련되지 않은 네트워크에도 약한 신호가 존재한다는 가설을 뒷받침합니다. 랜덤 컨볼루션 신경망의 성능은 컨볼루션 구조의 통합에 기인합니다. 연구의 결론 부분에서는 개발한 모델과 유사한 모델을 그래픽으로 비교합니다. 물체의 구성 요소와 공간 배열에 대한 특징 매핑을 학습하는 것은 어렵지만, 네트워크가 이러한 특징을 학습하도록 동기를 부여하는 것이 중요합니다.

ImageNet 분류를 위한 전이 학습(transfer learning) 방법은 처음 N개의 컨볼루션 레이어(convolutional layers)를 고정한 뒤, 나머지 레이어를 새로 훈련하는 것입니다. 이는 더 구체적인 분류 결과를 얻기 위해 실행됩니다. 연구팀은 이 시스템이 작동하기 위한 설계 방안을 개발하였습니다. 신경망 기반 피셔 벡터(Fisher Vector on Neural Network, NN Fisher Vector) 기술자는 이미지 집합을 긍정적 또는 부정적으로 분류하는 데 사용됩니다. 이를 통해 어떤 이미지 그룹이 서로 잘 어울리는지, 또는 어울리지 않는지를 판단할 수 있습니다. 전자는 큰 지오데식 거리(geodesic distance)가, 후자는 k-NN(k-Nearest Neighbors) 그래프의 순환 일관성(cyclic consistency)이 영향을 미칩니다. 최종 점수는 이 두 요소를 함께 고려하여 결정됩니다.

Siamese 네트워크(Siamese network)는 유사도 함수(similarity function), 예를 들어 코사인 거리(cosine distance),에 따라 의미적으로 유사한 이미지(positive pairs)를 가깝게 클러스터링하고, 그렇지 않은 이미지(negative pairs)는 멀리 분리하도록 임베딩(embedding)을 학습하는 역할을 담당해

왔습니다. 메트릭 학습(metric learning)은 트리플렛 학습(triplet learning)과 함께 적용될 수 있습니다. 영화 분석을 예로 들면, 시간적 일관성(temporal consistency)을 활용하여 목표를 달성하는 것과 비슷합니다. 연구자들은 30프레임 동안 추적한 뒤 패치의 위치를 파악하여 positive 매치 패치를 선별합니다. 이 과정은 YouTube에서 발견된 수만 개의 비디오를 분석하여 잠재적 관심 대상을 찾은 후에 진행됩니다.

SSiamese network(샴 네트워크)를 구성하기 위해, 세 번째 부정적인 패치를 한 쌍에 연결하는 과정이 필요합니다. 이 연결은 임의적으로 또는 복잡한 알고리즘을 통해 이루어질 수 있습니다. 네트워크의 앙상블은 두 개의 긍정적인 패치와 두 개의 부정적인 패치를 구별하고 임베딩하는 역할을 합니다. 이 과정은 이전 네트워크와 유사하게 수행됩니다. 전송 작업에서 다양한 집단에서 얻은 특성은 유사하게 작동하며, 인스턴스 간 불변성과 인스턴스 내 불변성을 가진 선호도 그래프는 다양한 신호를 통합하는 전략 중 하나입니다.

Wang 등의 연구와 유사한 프레임워크를 적용하여 30프레임 동안 관찰하여 패치를 마이닝하는 방법을 사용합니다. 샴 네트워크는 긍정적인 파트너와 부정적인 파트너를 모두 포함한다는 결론에 도달했습니다. Doersh 등은 다양한 유형의 표현을 활용하고자 하며, 목표는 여러 가지 다른 척도 과제를 결합하는 것입니다. 정규화의 목적은 특정 작업에 유리한 특징을 분할하는 방향으로 네트워크를 유도하는 것입니다. 네트워크는 특정 작업의 기준에 따라 각 작업에 사용할 레이어의 조합을 결정합니다. 이전의 대부분의 접근 방식은 AlexNet 네트워크를 사용하는 것과 달리, 미묘한 ResNet 아키텍처를 활용한 작업을 보여줍니다.

2.4 대규모 학습

대규모 학습에서는 정보의 폭과 깊이를 최대한 활용하는 것이 중요합니다. 사용자가 제공한 주석을 활용하여 라벨이 지정된 대규모 데이터 소스에 대해 네트워크를 사전 학습시키면 일반화된 시각적 품질이 향상될 수 있습니다. Joulin은 제한적인 인간 감독 하에서 CNN을 비지도 학습 방법으로 훈련시킵니다. Douze 등은 라벨링된 샘플이 제한된 상황에서 대규모 데이터 세트에 라벨을 전파하는 문제에 대한 해결책을 찾았습니다. 이들은 CNN에서 생성된 데이터를 표현하는 k-NN 그래프를 사용하는 전략을 개발했습니다. 이 연구는 클러스터링 방법의 효율성을 평가하고 대조하는 데 중요한 기여를 합니다. 클러스터링 방법 중 파워 반복 클러스터링과 k-평균이 YFCC100m 데이터 세트에서 가장 좋은 성능을 보였습니다.

2.15 파워 반복 클러스터링(Power Iteration Clustering)

파워 반복 클러스터링(Power Iteration Clustering, PIC)은 Lin과 동료들에 의해 개발된 방법으로, 그래프 클러스터링에 활용됩니다. 네트워크를 표현할 때 일반적으로 사용하는 것은 n×n 크기의 선호도 행렬(affinity matrix) A이며, 여기서 n은 데이터 세트에 있는 요소의 수를 나타냅니다. 이 행렬의 원소 Aij는 노드 i와 j의 가까움 또는 유사성을 측정한 값입니다. 노드 간 거리에 가우시안 커널(Gaussian kernel)을 적용하는 것은 이러한 유사성을 측정하는 좋은 예시입니다. 전통적인 스펙트럼 클러스터링(spectral clustering) 방법은 입력 행련 A로부터 생성되는 라플라시안 행렬(Laplacian matrix) L에 기반합니다.

임계값을 사용하는 방법, 예를 들어 가장 가까운 k개 이웃을 사용하는 것은 선호도 행렬 A의 희소 표현(sparse representation)을 얻는 방법 중 하나입니다. 스펙트럼 그래프(spectral graph)에서 N컷(N-cut) 문제의 해는 L의 최소 고유 벡터(eigenvector) k개이며, 이는 L의 가장 작은 고유값(eigenvalue)과 연결되어 있음을 보여줍니다. 네트워크 노드를 k개의 클러스터로 분할하는 것은 Ncut 문제라고 합니다. 데이터 포인트를 가장 작은 k개의 고유 벡터로 구성된 부분 공간(subspace)에 투영하면 데이터 포인트 간의 명확한 구분을 만들 수 있습니다. 선호도 행렬 A에서 가장 큰 고유 벡터가 라플라시안 행렬 L에서 가장 작은 고유 벡터와 동일하다는 점은 흥미로운 발견입니다.

A의 가장 큰 고유값은 일정하므로, 관련된 고유 벡터를 사용하는 것은 대부분의 경우 효과적이지 않습니다. 가장 널리 사용되는 계산 방법 중 하나는 벡터에 선호도를 여러 번 곱한 후 결과를 정규화 상수(normalizing constant)로 나누는 것입니다. Lin 등은 목표에 도달하기 전에 반복을 중단하는 것을 제안합니다. 이 방법을 통해 그들은 데이터를 효율적으로 클러스터링할 수 있는 저차원 임베딩(one-dimensional embedding)을 사용

함을 보여줍니다. 이 연구에서는 다른 곳에서 자세히 설명된 파워 반복 클러스터링보다 더 단순한 접근 방식을 사용합니다.

3장. 딥러닝 네트워크의 세 가지 클래스

3.1 소개

딥 러닝(Deep Learning)"은 다양한 머신 러닝 알고리즘과 프레임워크를 포괄하는 범주입니다. 딥 러닝은 여러 겹의 비선형 처리 계층을 사용하여 우수한 결과를 얻는 머신 러닝의 하위 분야로, 이는 딥 러닝을 다른 머신 러닝 분야와 구별짓는 주요 특징입니다. 이 분야의 연구는 주로 세 가지 주요 하위 분야로 분류됩니다: 합성 및 생성, 인식 및 분류, 그리고 기타 목적을 위한 연구들입니다. 각 분류의 특징은 다음과 같습니다.

- 비지도 또는 생성 학습을 위한 딥 네트워크: 이 네트워크는 클래스 레이블 정보가 없는 상태에서 데이터의 고차 상관관계를 포착하려고 시도합니다. 이러한 네트워크는 '비지도 기능 또는 표현 학습'으로 불리며, 생성 모드에서는 관찰 가능한 데이터의 공동 통계 분포와 연결된 클래스를 정의할 수 있습니다. 베이지안 규칙을 사용하여 생성 네트워크를 판별 네트워크로 변환할 수 있습니다.

● 지도 학습을 위한 딥 네트워크: 이 네트워크는 패턴을 올바르게 분류하기 위해 직접적인 판별력을 제공합니다. 이는 클래스의 후방 분포를 특성화함으로써 달성됩니다. 이러한 네트워크는 '차별적 딥 네트워크'로 불리며, 데이터의 대상 레이블이 항상 사용 가능합니다.

● 하이브리드 심층 네트워크: 생성형 또는 비지도 심층 신경망의 결과는 분류 문제에 유용하며, 이러한 네트워크는 특정 결과가 필요한 경우에 적합합니다. 지도 학습의 판별 기준을 활용하여 심층 생성형 또는 비지도 심층 네트워크를 활용할 수 있습니다.

딥 러닝 기법은 심층 판별 모델(예: 심층 신경망, 순환 신경망, 컨볼루션 신경망 등)과 생성/비지도 모델(예: 제한적 볼츠만 머신(RBM), 심층 신념 네트워크(DBN), 심층 볼츠만 머신(DBM), 정규화된 자동 인코더 등)로 분류할 수 있습니다. 하지만 이러한 분류는 딥 러닝 연구에서 밝혀진 중요한 결과를 고려하지 않는 경우가 많습니다. 예를 들어, 심층 신경망(DNN) 및 기타 심층 판별 또는 지도 학습 모델은 훈련 중에 생성 또는 비지도 학습 모델이 제공하는 정규화 또는 최적화를 통해 상당한 이점을 얻을 수 있습니다.

비지도 학습을 위한 심층 신경망(예: 일반 자동 인코더, 스파스 코딩 네트워크 등)은 확률적일 필요가 없으며, 의미 있는 샘플을 추출할 수 있는 능력이 중요합니다. 최근 연구는 기존의 노이즈 제거 자동 인코더를 제너레이티브 모델로 발전시켰으며, 이로 인해 자동 인코더는 제너레이티브 모델로 인식되기 시작했습니다. 지도 학습에 사용되는 딥 러닝 네트워크는 이러한 비교를 통해 더 잘 이해될 수 있습니다.

비지도 학습에 쓰이는 딥러닝 네트워크는 기존의 양방향 분류와 비교했을 때 몇 가지 근본적인 차이점을 가지고 있습니다. 딥 뉴럴 네트워크(Deep Neural Network, DNN)와 다른 심층 지도 학습 모델은 테스트와 학습에서 더 효율적이고, 설계가 유연하며, 복잡한 시스템을 위한 엔드투엔드(end-to-end) 학습에 더 적합합니다. 예를 들어, 루프 belief propagation과 같은 근사적 추론(approximate inference)이나 학습이 필요하지 않다는 이점이 있습니다. 이러한 모델들은 근사적 추론이나 학습에 의존하지 않고도 잘 작동할 수 있기 때문에 복잡한 시스템의 엔드투엔드 학습에 유리합니다.

반면에 심층 비지도 학습 모델, 특히 확률론적 생성 모델(Probabilistic Generative Models)은 도메인 지식을 파악하고 통합하며 구성하는 데 있어, 그리고 불확실성을 다루는 데 있어 더 용이합니다. 이는 심층 비지도 학습 모델이 데이터의 내재된 구조를 발견하고, 이를 통해 데이터에 대한 더 깊은 이해를 가능하게 하기 때문입니다.

딥 러닝"은 다양한 머신 러닝 알고리즘과 프레임워크를 아우르는 포괄적인 범주입니다. 이 분야는 복잡한 시스템에 대한 추론을 위해 다층적인 비선형 처리 계층을 활용합니다. 이 책에서는 딥 러닝의 세 가지 주요 형태인 지도, 비지도, 하이브리드 학습에 대해 다룹니다. 각각의 접근 방식은 실제 환경에서의 적용 가능성을 고려하여 선택됩니다.

3.2 비지도 또는 생성 학습을 위한 딥 네트워크

비지도 학습은 목표 클래스 레이블이 없는 상태에서 데이터의 고차 상관관계를 포착하는 과정입니다. 이러한 학습 방식에는 랜덤 활성화 맵(RAM), 심층 신념 네트워크(Deep Belief Network, DBN), 심층 볼츠만 머신(DBM), 일반화된 노이즈 제거 자동 인코더 등이 포함됩니다. 이들은 네트워크에서 샘플링하여 의미 있는 샘플을 생성하는 데 사용됩니다. 그러나 일부 네트워크는 샘플링이 어려워 생성적 특성을 갖지 못할 수도 있습니다.

이 범주에는 스파스 코딩 네트워크와 초기 형태의 딥 오토인코더도 포함됩니다. 에너지 기반 딥 모델은 현재 가장 일반적인 유형의 비지도 생성 딥 네트워크입니다. 노이즈 제거 자동 인코더는 입력 벡터를 의도적으로 왜곡하여 더 높은 수준의 선명도를 얻습니다. 이는 다양한 방법으로 수행될 수 있으며, 손상된 데이터에서 얻은 인코딩된 표현은 다음 단계의 입력으로 사용됩니다.

딥 볼츠만 머신(DBM)은 비지도 심층 모델의 중요한 유형으로,

여러 계층으로 구성되어 복잡하고 고차원적인 상관관계를 기록합니다. 이는 객체 및 음성 인식 문제에 큰 수요가 있습니다. 라벨이 지정되지 않은 방대한 감각 입력으로부터 높은 수준의 표현을 생성하는 것이 가능합니다. 제한 볼츠만 머신(Restricted Boltzmann Machine, RBM)은 DBM의 전신으로, DBM에서 숨겨진 레이어의 수를 하나로 제한한 것입니다. RBM은 노드 간에 명시적이거나 직접적인 연결이 없는 구조를 가집니다.

제한된 볼츠만 머신(RBM)의 가장 큰 장점은 여러 개의 숨겨진 계층(hidden layers)을 효과적으로 학습할 수 있다는 것입니다. 이를 위해 많은 수의 RBM이 구성되며, 각각의 RBM은 이전의 RBM으로부터 얻은 활성화된 특징들을 입력으로 사용하여 학습됩니다. 이 과정은 모든 정보가 전달될 때까지 계속됩니다. 이렇게 구성된 최종 결과물을 심층 신념 네트워크(Deep Belief Network, DBN)라고 부릅니다. RBM과 DBN에 대해서는 다음 장에서 더 자세하게 다루겠습니다. 최신 버전의 DBN은 기존의 하위 계층에 인수분해된 고차 볼츠만 머신(Factored Higher-Order Boltzmann Machine)을 추가하여 업데이트되었으며, 이는 휴대폰 및 컴퓨터 비전 기술의 발전에 기여하였습니다.

평균 공분산 RBM(mean-covariance RBM, mcRBM)은 기존 RBM이 데이터의 공분산 구조를 적절히 반영하지 못하는 문제를 해결하기 위해 개발되었습니다. 하지만 mcRBM을 훈련하고 이를 상위 계층의 딥 러닝 아키텍처(deep learning architecture)와 통합하는 과정은 복잡하며, 예상한 수준의 우수한 결과를 얻기도 어려울 수 있습니다. 높은 계산 비용 때문에 mcRBM의 파라미터를 DBN 전체에 걸쳐 미세 조정(fine-tuning)하는 것은 실현하기 어렵습니다. 이는 상위 레이어의 RBM을 미세 조정하는 데 필요한 판별적 정보(discriminative information)가 부족할 경우 더욱 어렵습니다. 여여러 연구에 따르면, 화자 적응형 기능을 적용할 때 mcRBM은 기존 방법보다 변동성을 더 효율적으로 최소화하는 것으로 나타났습니다. 이는 이전 연구 결과의 직접적인 영향입니다. 심층 생성 네트워크의 또 다른 예로는 합산 생성 네트워크(SPN)가 있습니다. SPN은 지도 학습과 비지도 학습 모두에 사용될 수 있으며, 관측된 변수들은 방향성 비순환 그래프인 SPN의 노드로 표현됩니다. 이 네트워크는 나무 구조로 생각할 수 있으며,

덧셈과 곱셈 기호는 숨겨진 노드로 표현됩니다. "합계" 노드는 혼합 모델을 생성하는 책임을 지니고, "곱셈" 노드는 특징 계층 구조를 구성합니다.

SPN은 "완전성"과 "일관성"을 중시하여 원하는 한계를 설정할 수 있습니다. SPN 학습 과정에서는 일반적으로 EM 알고리즘과 역전파가 함께 사용됩니다. SPN을 구축하는 과정에서 노드의 상대적 중요도를 파악하고, 깊은 층으로 전달되는 동안 학습 신호인 그라데이션은 감쇠를 겪게 됩니다. 이는 SPN 학습의 주요 장애물 중 하나입니다. 이 문제를 극복하기 위한 경험적 해결책이 발견되었습니다.

그러나 SPN은 분류 작업에서 활용도가 제한되는데, 이는 판별 정보를 사용하여 파라미터를 미세 조정하기 어렵기 때문입니다. 이후 연구에서는 이 문제를 극복한 BP 스타일의 SPN에 대한 효과적인 판별 훈련 알고리즘이 개발되었습니다. 일반 DNN과 마찬가지로, 경사 하강 접근 방식은 조건부 확률의 미분에 의존하며, 이는 경사 확산 문제를 야기할 수 있습니다. 이 문제는 기존 DNN에서 잘 알려진 문제입니다.

이 문제를 해결하기 위해 "하드" 정렬을 활용하여 기울기를 전파하는 방법이 선택되었으며, SPN에 대한 경험이 쌓이면 한계 추론을 숨겨진 변수의 가장 가능성 높은 상태로 대체할 것입니다. 젠스와 도밍고는 소규모 이미지 인식 테스트에서 뛰어난 성능을 보여주었습니다. 순환 신경망(RNN)은 지도 학습과 비지도 학습 모두에서 우수한 성능을 발휘합니다. RNN은 데이터의 길이에 따라 깊이가 확장되어 긴 데이터 시퀀스를 처리할 수 있습니다. 비지도 학습에서 RNN은 현재 데이터 샘플을 기반으로 미래 데이터 시퀀스에 대한 예측을 생성합니다.

RNN은 시퀀스 데이터 모델링에 널리 사용되며, 그라데이션 소실 또는 폭발 문제를 해결하기 위해 게이트 연결이 도입되었습니다. 이러한 게이트 연결은 잠재 상태 벡터 간의 전환을 정확하게 예측하는 데 도움이 됩니다.

생성적 RNN 모델은 텍스트 문자열을 성공적으로 합성할 수 있는 능력을 가지고 있습니다. 벤지오와 그의 동료들의 연구에 따르면, 언어 모델링에 RNN을 사용하면 매우 긍정적인 결과를 얻을 수 있습니다. 특히, 확률론적 경사 하강 최적화 방법이 생성적 RNN 훈련 과정에서 헤시안 프리 최적화보다 더 나은 성능을 발휘한다는 것을 입증했습니다. Mesnil과 그의 동료들의 연구에 따르면, RNN은 음성 언어 간 번역에도 유용할 수 있습니다. 이 책에서는 음성 인식 분야에서 인간의 음성 생성 과정을 모델링하는 방법을 심층적으로 탐구합니다.

초기 연구에서는 HMM(Hidden Markov Model) 파라미터에 동적 제한을 가하여 표준 HMM 구조를 개선하고 확장했습니다. 이러한 접근 방식은 HMM을 더 다양한 상황에 적용할 수 있게 만들었습니다. 최근에는 시간에 따라 변화하는 HMM 파라미터에 대한 다양한 학습 방법이 개발되었으며, 이는 음성 인식의 정확도를 향상시켰습니다. HMM은 음성 합성의 기반이며, 파라메트릭 스피치 합성도 HMM을 기반으로 합니다.

인간 음성 생성의 자연스러운 목표 지향적이고 조음적인 측면에 대한 연구는 인간의 목소리 작동 방식을 더 깊이 이해하는 것을 목표로 했습니다. 최근에는 비재귀 또는 유한 임펄스 응답(FIR) 필터를 사용하여 숨겨진 역학을 가진 심층 설계를 더 효과적으로 구현하고 있습니다. 이러한 심층 구조 음성 생성 모델은 일반적인 동적 네트워크 모델의 특수한 사례로 간주될 수 있습니다.

단일 채널, 다중 화자 음성 인식과 같은 어려운 과제는 딥 아키텍처를 음성에 적용함으로써 효과적으로 해결되었습니다. 혼합되지 않은 음성과 혼합된 음성을 구분하는 새로운 딥 그래픽 모델 계층이 개발되었습니다. 심층 생성 그래픽 모델은 다양한 맥락에서 유용하게 활용될 수 있습니다. 그러나 추론, 학습, 예측, 토폴로지 개발과 관련해서는 일반적으로 근사치를 사용합니다.

최근 연구에서는 딥 제너레이티브 그래픽 모델을 현실 세계에 적용할 수 있는 가능성을 보여주었습니다. 벤지오는 이 복잡한 문제를 해결하기 위해 더 진보된 전략을 제안했습니다. 이제 잠재 변수를 무시할 필요가 없으며, 이는 문제의 해결 불가능성을 처리할 수 있는 솔루션을 제공합니다.

대규모 음성 인식과 이해를 위한 기존의 통계적 방식에서 "얕은" 수준의 계층은 숨겨진 마르코프 모델(Hidden Markov Model,

HMM)을 통해 음성 음향 모델링을 담당합니다. "더 깊은" 구조의 계층은 자연어 처리의 다양한 단계를 나타내며, 이 구조를 통해 모델은 방대한 양의 음성 데이터를 처리할 수 있게 됩니다. 숨겨진 마르코프 모델은 이러한 접근 방식을 통틀어 지칭하는 데 사용되는 용어입니다. 계층적 HMM(Hierarchical Hidden Markov Model, HHMM)에 대한 최근 연구 중 하나는 이 계층적으로 연결된 모델을 심층 생성 아키텍처(deep generative architecture)로 볼 수 있는 근거를 제시합니다. 이 연구는 마이크로소프트 리서치(Microsoft Research)에서 수행되었고 2018년에 발표되었습니다. 관련 내용은 특정 출판물에 자세히 기술되어 있으며, 때로는 더 기술적인 내용을 포함하고 있습니다. 이와 유사한 다른 모델들도 존재하지만, 종종 더 고급 수학과 기술을 필요로 합니다.

레이어드 HMM(Layered HMM)은 이러한 설명에 부합하는 모델 중 하나입니다. 이 장에서는 심층 생성 네트워크의 두 가지 형태인 심층 신념 네트워크(Deep Belief Networks, DBN)와 심층 볼츠만 머신(Deep Boltzmann Machine, DBM)을 검토했지만, 저자들은 이 모델들에서 중요한 '분산 표현'(distributed representation)이라는 요소를 누락했습니다. 이 누락된 요소를 생성 모델에 추가하면 최적화 과정을 향상시킬 수 있습니다. 요약하면, 신경망 기반의 동적 또는 시계열적 재귀 생성 모델(recurrent generative model)은 인간 행동 모델링, 자연어 구문 분석, 자연 장면 분석 등에 기여할 수 있는 가능성을 지니고 있습니다. 특히, 학습 알고리즘이 모델의 최적 구조를 독립적으로 결정할 수 있는 후자의 경우는 더욱 주목할 만합니다. 이는 모델의 매력을 높이는 중요한 요소입니다.

분산 신경망(DNN)과 같은 딥 아키텍처는 유연한 설계보다는 고정된 매개변수를 필요로 합니다. 예를 들어, 최대 마진 구조 예측 아키텍처는 실제 환경의 이미지와 구어 구문에서 재귀 구조를 찾는 데 사용될 수 있습니다. 이러한 패턴은 시각적 요소나 단어 구성 요소를 인식하고, 이들이 어떻게 전체를 형성하는지를 파악하는 데 도움이 됩니다.

3.3 지도 학습을 위한 심층 네트워크

지도 학습을 위한 심층 네트워크에서는 조건부 랜덤 필드(CRF)

와 같은 많은 접근 방식이 얕은 구조에 의존합니다. CRF는 입력 특징과 전환 특징 간의 선형 연결을 특징으로 합니다. 최근에는 CRF의 심층 구조가 개발되어, 연속된 CRF 계층의 결과를 쌓아 올리는 방식으로 구축되었습니다. 이러한 심층 구조 CRF는 자연어 처리와 음성 인식 등 다양한 분야에서 사용되고 있습니다.

그러나 심층 구조 CRF는 생성적 기능이 없어, 하이브리드 기술인 딥 신념 네트워크(DBN)의 성능을 따라잡지 못했습니다. 심층 구조 CRF는 이해하기 어렵고, 음성 인식에 사용되는 다양한 판별 모델에 대한 분석이 필요합니다. 대부분의 논의는 다층 퍼셉트론(MLP) 구조나 전통적인 신경망에 집중되어 있으며, 음소가 언어 인식의 주요 구조적 요소로 간주됩니다.

'탠덤' 방법은 심층 신경망 모델을 기반으로 하며, HMM은 신경망의 출력을 관측 변수로 사용합니다. 딥 스태킹 네트워크(DSN)는 차별에 중점을 두는 혁신적인 아키텍처로, 생성적 구성 요소가 거의 필요하지 않습니다.

순환 신경망(RNN)은 생성 모델링에 사용될 수 있으며, 신경 예측 모델은 생성 프로세스를 사용하는 또 다른 모델입니다. RNN은 입력 데이터 시퀀스에 연결된 레이블 시퀀스를 출력하는 판별 모델로 사용될 수 있습니다.

과거에는 RNN과 시퀀스 모델을 음성에 적용하는 시도가 제한된 성공을 거두었습니다. HMM을 사용하여 RNN 분류 결과를 변환하는 방법도 있지만, 이 경우 RNN의 잠재력이 충분히 활용되지 않을 수 있습니다.

학습 데이터를 사전에 분류하고 결과물을 후처리하는 과정은 최근 개발된 다양한 새로운 모델과 방법론 덕분에 더는 필요하지 않게 되었습니다. 이러한 발전으로, 사전 처리 과정을 없애는 것이 중요해졌습니다. 이제 순환 신경망(Recurrent Neural Network, RNN)은 이러한 혁신 덕분에 시퀀스 데이터를 자동으로 인식하고 장기 기억(long-term memory)과 단기 기억(short-term memory)을 결합하는 능력을 갖추게 되었습니다. 이는 입력 시퀀스를 고려할 때, RNN의 출력이 가능한 모든 라벨 시퀀스에 대해 조건부 분포(conditional distribution)로 가장 효율적으로 해석될 수 있다는 개념에 기반합니다. 그 후 시스템은 올바른 라벨 시퀀스에 대한 조건부 분포를 최대화하는 미분 가능한 목적 함수(differentiable objective function)에 기반하여 데이터 세분화를 자동으로 수행합니다.

이 방식은 인간의 개입 없이 데이터 세분화를 가능하게 하며, 라벨이 정확하게 적용될 확률을 높여 목표 달성에 기여합니다. 이 접근법은 다양한 필기 인식과 간단한 음성 인식 테스트에서 효과적임이 입증되었으며, 책에서 더 자세히 다루게 될 것입니다. 다른 형태의 차별화된 딥러닝 아키텍처로는 컨볼루션 신경망(Convolutional Neural Network, CNN)이 있습니다. 컨볼루션 레이어(convolutional layers)와 풀링 레이어(pooling layers)는 CNN의 핵심 요소입니다. 이 레이어들의 상호작용을 통해 컨볼루션 과정이 실제로 이루어집니다. 이러한 모듈은 보통 여러 계층을 수직으로 쌓아 올려 심층 모델(deep model)을 구성하거나, 심층 신경망(Deep Neural Network, DNN) 위에 층을 추가하는 형태로 사용됩니다. 컨볼루션 레이어와 풀링 레이어는 많은 가중치를 공유하며, 풀링 레이어는 컨볼루션 레이어의 출력을 서브샘플링(subsampling)하여 데이터의 차원을 축소합니다.

CNN에서 컨볼루션 레이어가 진행하는 가중치 공유(weight sharing)와 적용되는 풀링(pooling) 방식은 CNN의 '불변성'(invariance) 특성을 강화합니다. 이 중 하나의 예로는, 이미지가 이동해도 변하지 않는 CNN의 번역 불변성(translation invariance) 능력이 있습니다. 이와 같은 번역 및 회전에 대한 불변성뿐만 아니라, 스케일(scale)과 회전(rotation)에 대한 불변성도 CNN의 불변성 특성을 나타내는 다른 사례입니다. 그러나 일부 전문가들은 복잡한 패턴 인식 작업에는 이 정도의 불변성이나 등분산성(homoscedasticity)만으로 부족하다고 주장합니다. 그들은 더 광범위한 불변성을 다룰 수 있는 보다 진보된 기술이 필요하다고 봅니다. 어려운 작업을 수행하기 위해서는 복잡한 패턴을 인식하는 능력이 중요합니다. 그럼에도 불구하고 CNN은 여러 분야, 특히 컴퓨터 비전과 이미지 인식에서 효과적인 것으로 입증되었으며, 해당 기술에 대한 수요가 증가하고 있습니다. 음성 언어의 특성에 맞게 조정된 후, 원래 이미지 분석을 위해 개발된 컨볼루션 신경망이 음성 인식에서도 성공적이라는 것이 최근 연구를 통해 입증되었습니다.

이 기술에 대한 발견은 매우 최근에 이루어졌습니다. 이 네트워크에 대한 개선이 이 획기적인 기술의 성공에 큰 기여를 했음은 의심의 여지가 없습니다. 다음 장에서는 앞서 언급한 소프트웨어 패키지에 대해 좀 더 깊이 있게 논의할 예정입니다. 특히, CNN의 선구자인 시간 지연 신경망(Time Delay Neural Network, TDNN)에 주목할 필요가 있습니다. 이 네트워크가 처음 개발된 음성 인식에서의 선구적 연구가 이 네트워크 탄생의 영감이 되었다는 점을 기억해야 합니다. TDNN에서는 가중치 공유가 한 차원(보통 시간적 차원)에 국한되어 있습니다.

그러나 TDNN에는 풀링 레이어가 없습니다. 최근의 연구에 따르면, 정확한 음성 인식을 위해 시간 차원의 불변성보다는 주파수 차원의 불변성이 훨씬 더 중요하다는 사실이 밝혀졌습니다.

최근의 여러 연구들은 우리에게 중요한 통찰력을 제공하였습니다. 이 중요한 통찰력은 특히 통화 인식 분야에서 기존의 컨볼루션 신경망(CNN)보다 더욱 효율적으로 작동하는, 새롭고 독창적인 방법을 통해 드러났습니다. 이 글에서는 그러한 새로운 접근법을 만들어낸 연구의 기초와, 그를 통해 개발된 컨볼루션 신경망의 풀링 계층에 대해 자세히 설명하고자 합니다.

컨볼루션 신경망의 풀링 계층(pooling layer)은 들어오는 데이터를 다양한 카테고리로 분류하는 기능을 담당하는 CNN의 중요한 부분입니다. 이 부분은 각각의 데이터를 분석하고, 이를 통해 상황에 적합한 카테고리로 분류하는 역할을 수행합니다. 이는 CNN이 데이터를 효과적으로 이해하고 처리하는 기반을 형성합니다.

또한 컨볼루션 신경망은 계층적 시간 기억(hierarchical temporal memory) 모델의 기반을 형성합니다. 이 모델은 시간적 정보를 계층적으로 저장하고 분석하여, CNN의 세밀한 개선에 기여합니다. 이러한 시간적 정보의 활용은 CNN의 성능을 끌어올리는 데 매우 중요한 요소입니다.

더욱이, CNN은 정보의 흐름을 단순히 하향식(top-down) 또는 상향식(bottom-up) 중 한 가지 방향으로만 의존하지 않습니다. 실제로, CNN은 두 방향의 정보 흐름을 모두 활용하여 더욱 효과적인 분류를 수행합니다. 이는 이미 통합된 기능으로서, CNN의 전체적인 성능을 향상시키는 데 중요한 역할을 합니다. 이처럼 CNN의 다양한 기능들은 통화 인식 분야에서 더욱 효율적인 성능을 발휘하도록 돕습니다. 이러한 점들은 모두 주목해야 할 중요한 사항입니다.

'감독' 정보를 활용하여 시간적 차원을 정확하게 이용하는 것이 중요합니다. 확률론적 베이지안 형식주의는 다양한 데이터 포인트를 일관된 전체로 통합하는 데 사용됩니다. 상향식 탐지 기반 음성 인식을 위해 2004년 이후 발전된 학습 아키텍처는 판별적 또는 지도 학습 딥 아키텍처로 분류할 수 있습니다. 이는 DBN-DNN 접근 방식의 구현을 통해 가능해졌으며, 이 접근 방식은 상향식 탐지 기반 음성 인식에 근거합니다.

이 아키텍처는 데이터와 음성 특징의 인식 대상, 상위 수준의 전화와 단어의 결합 가능성을 표현할 수 있는 명확한 경계가 없습니다. 이 접근 방식의 최신 버전은 여러 계층을 가진 심층 신경망을 사용하며, 역전파를 통해 학습합니다. 이 아키텍처는 음성 특징을 직접 인코딩하는 중간 신경망 계층을 사용하여 구축됩니다.

3.4 하이브리드 딥 네트워크

하이브리드 딥 네트워크는 생성 모델과 판별 모델 구성 요소를 모두 통합하는 딥 아키텍처입니다. 이 아키텍처의 판별 컴포넌트는 생성 컴포넌트 사용의 대부분을 차지합니다. 최적화 관점에서, 비지도 방식으로 학습된 생성 모델은 매개변수 추정 문제에서 좋은 초기화 지점을 제공할 수 있습니다. 정규화 관점에서, 비지도 학습 모델은 모델이 표현할 수 있는 함수 집합에 대한 사전 정보를 제공합니다.

DBN은 생성형 심층 네트워크의 형태를 취하는 비지도 학습 시스템입니다. 이 모델은 지도 심층 신경망(DNN)을 훈련하는 데 사용되며, 제공된 목표 레이블을 사용하여 네트워크를 미세 조정합니다. 이러한 방식으로 적용된 DBN은 하이브리드 딥 모델로 간주됩니다.

하이브리드 딥 네트워크의 또 다른 예는 DNN이 생성 DBN으로 초기화된 후, 시퀀스 수준 판별 기준을 통해 미세 조정되는 경우입니다. 이 경우, DNN-CRF의 혼합 아키텍처를 고려할 수 있으며, 이는 DNN과 HMM을 포함하는 유사한 하이브리드 딥 아키텍처의 예시입니다. 이러한 접근 방식은 개념 증명에 적합할 수 있습니다.

하이브리드 딥 아키텍처의 파라미터는 전체 라벨 시퀀스와 입력 특징 시퀀스 사이의 관계를 최대화하는 최대 상호 정보(MMI) 기준을 적용하여 동시에 학습됩니다. 목표는 두 시퀀스 간 가능한 최대 수준의 상호 정보를 달성하는 것입니다. 최근 연구에서는 전체 시퀀스 훈련을 얕은 신경망에 성공적으로 적용했습니다. 이는 제한된 훈련 데이터와 생성 사전 훈련 없이 얕은 신경망을 훈련한 초기 연구에서 영감을 받은 것입니다.

이는 협업 훈련의 개념을 공식화한 초기 작업이었습니다. 이 시나리오에서 사용된 HMM은 잘 알려진 최소 전화 오류(MPE) 접근 방식으로 훈련되었습니다. 이는 하이브리드 심층 신경망과 사전 훈련/미세 조정 절차 간의 관계를 강조합니다. 하이브리드 심층 신경망은 이 두 프로세스 사이의 간극을 메우는 역할을 합니다. 효과적인 MPE 학습을 위해서는 생성 기준(예: 최대 가능성)

을 최적화하는 방법(예: 바움-웰치 알고리즘)으로 MPE 학습 매개변수의 초기화가 필수적입니다.

하이브리드 기법으로 얕은 HMM 모델을 훈련하는 과정은 최대 가능성 학습 파라미터를 사용하여 차별적 HMM을 훈련하는 것을 지원합니다. 이 접근 방식을 통해 HMM 훈련에 최대한 활용될 수 있습니다. 이제 동일한 방법을 활용하여 다양한 하이브리드 딥 네트워크를 학습할 수 있는 가능성을 살펴보겠습니다. RBM의 생성 모델은 예측을 생성하기 위해 사후 클래스-라벨 확률을 판별 기준으로 사용합니다.

입력 데이터 벡터와 레이블 벡터를 병합하여 RBM이 사용할 결합된 가시 레이어를 구성해야 합니다. RBM은 병합된 레이어를 필요로 하기 때문에 이 시나리오에서는 병합 단계가 필수적입니다. 저자들은 얕은 생성 모델의 형태로 RBM을 위한 판별 학습 기법을 개발했으며, 이를 통해 RBM이 분류 문제에 대한 독립적인 솔루션으로 작동할 수 있게 되었습니다.

최근 연구에서는 특징 추출과 어려운 이미지 클래스 감지를 위한 심층 생성 모델인 DBN을 학습합니다. 이 모델의 핵심은 게이트 마르코프 랜덤 필드(MRF)로 구성됩니다. 경험적 위험의 판별 기준을 사용하여 딥 그래픽 모델을 훈련하는 연구에 따르면, DBN의 생성 능력을 사용하면 각 표현 수준에서 어떤 데이터가 획득되고 어떤 데이터가 손실되는지 더 간단하게 이해할 수 있습니다.

하이브리드 딥 네트워크의 마지막 예로, 음성 인식과 같은 한 판별 작업의 출력이 기계 번역과 같은 두 번째 판별 작업의 입력으로 활용되는 사례를 포함하여 개념과 작업의 본질을 고려할 수 있습니다. 음성 번역은 한 언어의 음성 단어를 다른 언어의 문자 단어로 바꾸는 작업을 수반합니다. 이 아키텍처의 설계는 음성 번역을 가능하게 하는 전체 시스템의 기능에 필수적입니다. 기계 번역 모델과 HMM과 같은 음성 인식 모델은 모두 본질적으로 생성적이지만, 각 모델의 매개변수는 번역된 텍스트와 음성 입력을 구별하도록 학습됩니다.

다음 장에서는 딥러닝 모델에 대한 조사 범위를 좁혀 세 가지 범주 각각에서 단일 모델 유형에 집중할 것입니다. 이를 통해 다양한 모델 클래스를 보다 심도 있게 살펴볼 수 있는 기회를 갖게 될 것입니다.

3.5 심층 신경망

기존의 머신 러닝 접근 방식에서 특징 추출은 종종 복잡하고 시간이 많이 소요되며, 문제에 대한 사전 지식이 필요한 과정입니다. 이와 달리, 딥러닝은 두뇌의 신경망처럼 직관적으로 작업별 주요 특징을 학습하는 방식을 채택합니다. 딥러닝은 잘 정립된 학습 방법론을 기반으로 하고 있음에도 불구하고, 초기에는 이러한 복잡한 구조의 훈련이 어렵다고 여겨졌습니다.

1950년대에 개발된 선형 퍼셉트론은 두 개의 클래스에 속하는 입력을 사용하여 의사 결정 함수를 훈련하는 최초의 모델 중 하나였습니다. 이 모델은 맥컬록-핏 뉴런 모델에 영향을 받았습니다. 역전파를 활용함으로써, 피드포워드 다층 퍼셉트론과 같은 다층 모델은 특징 집합과 분류 체계를 동시에 학습할 수 있었습니다.

입력 레이어와 출력 레이어 사이에 숨겨진 레이어를 설치하면,

분류기는 원시 입력이 아닌 해당 레이어의 정보를 기반으로 판단을 내립니다. 비선형 활성화 함수를 추가한 후, 이러한 다층 신경망은 복잡한 결정 함수를 학습할 수 있었습니다. 역전파는 다양한 방법 중에서도 딥 모델 학습을 위한 주요 방법으로 선택되었습니다.

그러나 신경망과 딥러닝 연구는 훈련 데이터 부족과 적절한 기술 부족으로 인해 오랫동안 정체되어 있었습니다. 힌튼은 제한된 볼츠만 머신을 쌓아 올린 심층 신념 네트워크(DBN)의 훈련을 통해 깊이의 중요성을 강조했습니다. 이러한 사전 훈련은 심층 신경망을 훈련할 수 없었던 소실 경사 문제를 해결하기 위해 필요했습니다.

최근 몇 년 동안 딥러닝 논문의 수가 급증하고 있습니다. 이는 기술의 발전과 더 큰 데이터 세트의 접근성 증가 때문일 수 있습니다. 크리제브스키(Krizhevsky) 등이 개발한 컨볼루션 아키텍처는 대규모 이미지 분류에 혁신을 가져왔습니다. 이들은 정류된 선형 단위(ReLU)를 사용하여 그라데이션 소실 문제를 해결했습니다. 이 모델은 로지스틱 함수와 같은 표준 확률 모델을 대체하는 압축된 버전으로, 뇌 연구에 기반을 두고 있습니다.

후쿠시마의 1980년대 연구는 오늘날 컴퓨터에서 사용되는 컨볼루션 네트워크의 기초를 마련했습니다. 그의 이미지 처리 방식은 여러 계층의 컨볼루션 처리와 강화 학습 전략을 사용했습니다. 이 아이디어는 동물의 시각 시스템을 모델로 삼았습니다. 컨볼루션 기반 아키텍처는 이미지 분류에 이상적입니다.

르쿤(LeCun)은 1989년에 손으로 쓴 숫자를 분류하기 위해 역전파로 훈련된 다층 컨볼루션 네트워크를 개발했습니다. 최근에는 3차원 컨볼루션 신경망(CNN)이 동영상에서 다양한 유형의 동작을 분류하는 데 사용되고 있습니다.

이 장에서는 딥러닝과 특히 심층 컨볼루션 신경망(CNN)에 대해 집중적으로 다룹니다. 우리는 딥러닝의 최신 접근 방식을 소개하고, CNN의 작동 방식을 설명할 것입니다.

3.6 피드포워드 네트워크

피드포워드 신경망은 3개 이상의 뉴런 층으로 구성된 범용 함수 근사기입니다. 이는 다층 퍼셉트론(MLP)으로도 알려져 있습니다. 네트워크는 최소한 입력 레이어(L1), 숨겨진 레이어(L2), 출력 레이어(L3)로 구성됩니다. 입력 레이어(L1)는 다양한 속성의 집합입니다. 숨겨진 레이어를 추가하여 더 깊은 구조를 만들 수 있습니다. MLP는 완전히 연결된 네트워크로, 각 계층의 모든 뉴런이 아래 계층의 모든 뉴런과 연결됩니다. 각 뉴런은 로젠블랫의 퍼셉트론 모델을 사용하여 입력 x에 대한 값을 생성합니다.

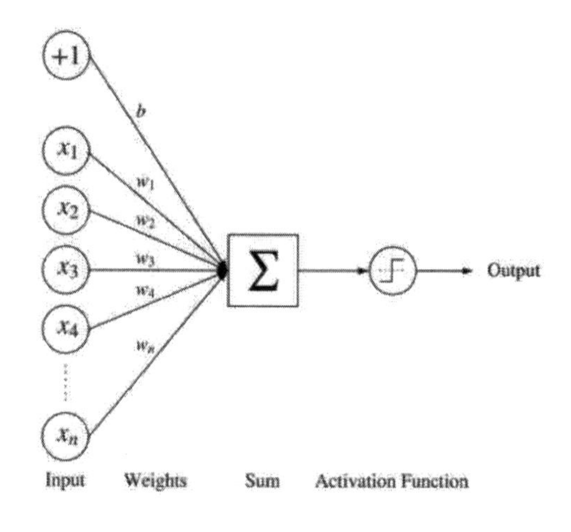

그림 3.1: 퍼셉트론 모델
출처: 컨볼루션 신경망을 위한 비지도 이미지 특징 학습 데이터 수집 및 처리, 2019

퍼셉트론은 이진 분류를 수행하기 위해 헤비사이드 스텝 함수(Heaviside step function)를 사용합니다. 반면, 다층 퍼셉트론(MLP, Multi-Layer Perceptron)은 사용하는 활성화 함수에 따라 회귀 또는 분류를 수행할 수 있습니다. 분류 작업에서는 대부분 로지스틱 함수(Logistic function) 또는 쌍곡선 탄젠트 함수(Hyperbolic tangent, tanh)와 같은 비선형 시그모이드 함수(Sigmoid function)가 사용됩니다.

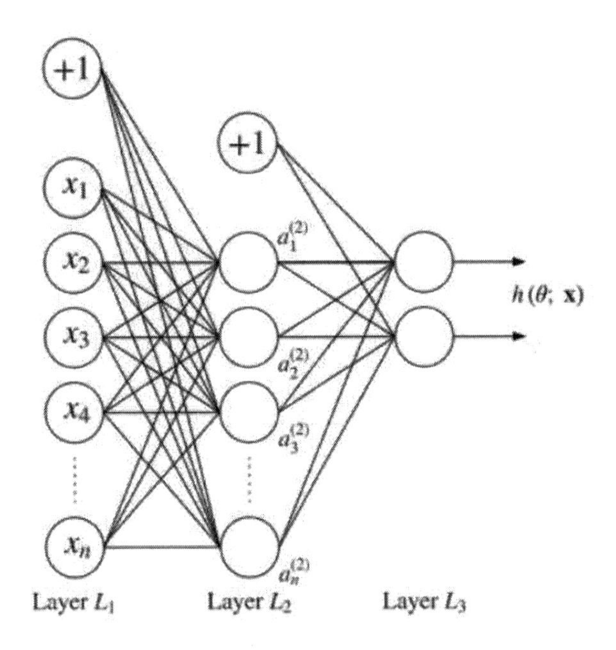

그림 3.2: 단일 히든 레이어가 있는 멀티레이어
퍼셉트론
출처: 컨볼루션 신경망을 위한 비지도 이미지 특징
학습 데이터 수집 및 처리, 2019

3.7 컨볼루션 신경망

피피드포워드 네트워크와 같은 신경망은 스스로 특징을 학습할 수 있기 때문에 원시 입력 이미지를 직접 네트워크에 공급할 수 있습니다. 하지만 표준 완전 연결 피드포워드 모델은 고차원 입력에 대해 조정 가능한 파라미터의 수가 많아지는 '차원의 저주' 문제를 가지고 있습니다. 이로 인해 학습 과정은 계산 비용이 많이 들고, 과적합(Overfitting)의 위험을 최소화하기 위해 더 큰 데이터 세트가 필요합니다.

피드포워드 네트워크는 데이터의 토폴로지를 고려하지 않습니다. 이는 이미지나 동영상과 같이 특정 토폴로지 구조를 가진 데이터를 처리하는 데는 불리합니다. 또한 표준 피드포워드 신경망은 크기 조정, 변환 또는 다른 방식으로 변형된 입력에 대한 불변성을 보장하는 데 효과적이지 않습니다.

컨볼루션 신경망(CNN, Convolutional Neural Network)은 공유 가중치, 로컬 연결, 서브샘플링(Subsampling)과 같은 전략을 사용하여 이러한 문제를 해결할 수 있습니다.

- 로컬 연결: 네트워크의 각 뉴런은 그 아래 레이어의 수신 필드(Receptive field)와만 연결되며, 이는 로컬로 간주됩니다. 이로 인해 바로 옆에 있는 레이어 간의 연결은 매우 제한적입니다.

- 공유 가중치: 입력 전체에 걸쳐 특정 특징에 대한 활성화를 반영하는 다양한 출력 특징 맵에 많은 개별 필터를 매핑할 수 있습니다. 이는 네트워크가 많은 수의 입력을 처리할 수 있는 용량을 유지하면서 표현력을 높이는 데 도움이 됩니다.

- 공간 하위 샘플링: 입력이 겹치거나 겹치지 않는 영역에 대해 집계되는 경우로, 매개변수의 수를 대폭 감소시키며, 스케일, 이동 및 변형에 대한 불변성을 향상시킵니다.

CNN은 다양한 수준의 추상화에 대한 풍부한 글로벌 표현을 제공합니다. 이러한 구성 요소는 서로 직교하는 여러 변형에도 견딜 수 있으며, 총 매개변수 수를 줄이면서도 네트워크의 계산 능력에 해로운 영향을 미치지 않습니다.

휴벨과 위젤의 연구에서는 원숭이의 시각 피질에 기본 세포와 복합 세포가 모두 존재한다는 사실이 밝혀졌습니다. 이들은 단순 세포와 복잡 세포의 반응을 연구하여, 단순 세포는 특정 방향의 자극에 강하게 반응하고, 복잡 세포는 공간 불변성을 가지며 다양한 자극 형상에 반응한다는 것을 발견했습니다. 이러한 발견은 CNN의 개발에 영감을 주었습니다.

3.8 컨볼루션

단순 세포(Simple cells)와 기능적으로 유사한 컨볼루션 레이어는 학습된 필터 커널을 사용하여 입력에 대해 컨볼루션을 수행하고, 이를 통해 로컬 특징을 추출합니다. 이 과정은 입력 데이터를 보다 정확하게 표현하기 위해 수행됩니다. 입력 데이터는 원본 이미지일 수도 있고, 이전 레이어의 특징 맵일 수도 있습니다. 컨볼루션은 모든 출력 특징 맵에 적용될 수 있습니다.

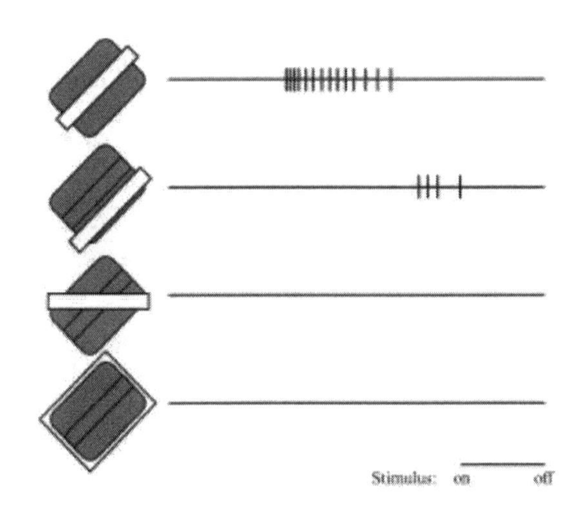

그림 3.3: 단순 셀
출처: 컨볼루션 신경망을 위한 비지도 이미지 특징 학습 데이터 수집 및 처리, 2019

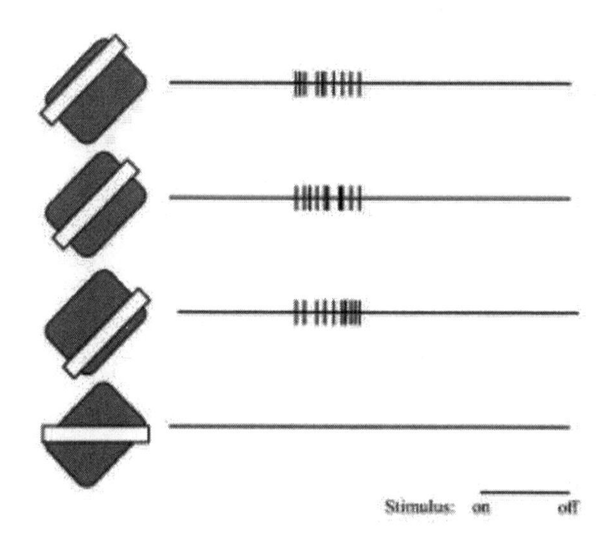

그림 3.4: 복잡한 셀
출처: 출처: 비지도 이미지 특징 학습을 통한
컨볼루션 신경망의 데이터 수집, 2019

3.9 드롭아웃

드롭아웃(Dropout)은 네트워크의 토폴로지에 무작위 노이즈를 추가하여 신경망의 과적합을 방지하는 정규화 방법입니다. 이 방법은 네트워크 내의 개별 뉴런에 제한을 두어, 훈련 기간 동안 네트워크 구조가 인위적으로 변화하는 효과를 얻습니다. 드롭아웃은 '뉴런 삭제' 기술을 사용하여, 훈련 중 뉴런이 네트워크에서 임시적으로 제거되는 확률을 일정하게 유지합니다. 이로 인해 모델의 기본 구조가 크게 수정되며, 네트워크는 더 탄력적이고 노이즈에 덜 취약한 특성을 갖게 됩니다.

드롭아웃은 가중치에 1/p의 재조정을 적용하여 스케일링 문제를 해결합니다. 드롭 커넥트(DropConnect)와 같은 유사한 기법도 존재하며, 이는 뉴런이 아닌 연결 가중치를 제거함으로써 작동합니다.

신뢰할 수 있는 데이터 세트를 얻는 것은 어렵고 시간이 많이 소요될 수 있습니다. CNN은 다른 유형의 신경망보다 더 발전된 기술이지만, 훈련 데이터의 양이나 품질이 충분하지 않은 경우 성능에 문제가 생길 수 있습니다. 네트워크는 대규모 데이터 세트에 액세스할 수 있는 경우 다른 신경망과 경쟁할 때 우수한 성능을 발휘하지만, 훈련할 데이터가 충분하지 않으면 효과적으로 작동하지 못합니다. 과적합은 네트워크 레이아웃의 가변성으로 인해 발생할 수 있습니다.

데이터 세트의 부족으로 인한 문제를 해결하기 위해 전이 학습(Transfer Learning)과 비지도 사전 학습(Unsupervised

Pre-training)과 같은 전략이 사용됩니다. 전이 학습은 이미 학습된 모델을 새로운 문제에 적용하여 성능을 향상시키는 방법입니다. 예를 들어, 시마니언과 그의 동료들은 행동 감지 모델의 공간 스트림을 사전 훈련했으며, 카르파티는 CNN의 마지막 몇 개의 레이어를 미세 조정하여 성능을 크게 향상시켰습니다.

전이 학습은 특정 주제와 관련된 데이터 세트로 작업할 필요 없이 일반 데이터를 활용할 수 있습니다. 전이 학습의 방향은 중요한 결정 요인이 될 수 있습니다. 비지도 사전 학습의 목표는 초기 데이터를 충실하게 재현할 수 있는 입력의 내부 표현을 찾는 것입니다.

자동 인코더를 사용한 가중치 초기화는 무작위 가중치 할당에 비해 평균 테스트 오류를 크게 감소시킬 수 있습니다. 전이 학습과 비지도 사전 학습은 모두 성능을 향상시키는 데 도움이 됩니다. CNN의 성능 향상은 복잡성 증가와 관련이 있지만, 과적합을 최소화하기 위한 다양한 기법이 제안되고 있습니다. 레이블이 지정된 데이터를 얻는 데 따르는 어려움으로 인해 이러한 이니셔티브를 진행하는 것은 어려울 수 있습니다.

3.10 2D 컨볼루션 신경망 사례 연구

이 섹션에서는 서로 다른 두 데이터 세트에 2D 컨볼루션 신경망(CNN)을 적용한 결과와 그 기술적 배경을 자세히 살펴봅니다. 실험의 첫 단계로 간단한 테스트를 수행하여 CNN과 저자의 구현을 검증했습니다. 실험의 기초로 MNIST 데이터 세트를 사용하여 2차원 이미지 분류 실험을 설명합니다. 이 실험의 목적은 프레임별 입력에 따라 활동을 분류하는 것입니다. 모든 실험에서는 테아노(Theano)와 엔비디아(NVIDIA)의 그래픽 처리 장치(GPU)가 사용되었습니다.

3.11 3D 컨볼루션 신경망 사례 연구

2D 컨볼루션에서는 각 이미지에 대해 하나의 출력 이미지가 생성됩니다. 이는 각 입력 이미지가 별도의 채널로 처리되는 것과 유사합니다. 2D 컨볼루션은 단일 프레임 내의 움직임 정보만 인코딩합니다. 반면, 3D 컨볼루션은 연속된 여러 프레임에 걸쳐 동작 정보를 인코딩하여 시간적 차원과 공간적 차원을 모두 포함하는 체적 출력을 제공합니다. 3D 컨볼루션을 수행하기 위해서는 영화의 여러 프레임을 쌓아 올린 체적 입력이 필요하며, 이를 3차원 커널을 사용하여 컨볼루션합니다.

UCF 스포츠 데이터 세트를 사용한 실험에서는 LOO(Leave-One-Out) 교차 검증 방식을 사용했습니다. 이 방식은 각 클래스에서 영화의 1/3을 선택하여 테스트 세트를 구성합니다(그림 3.5). 예를 들어, 골프 장르의 영화는 총 18편이며, 이 중 1/3을 테스트 세트로 선택했습니다. 또한, 각 클래스에서 무작위로 선택된 영화의 1/3로 구성된 테스트 세트를 만들었습니다. 실험 결과는 전 세계에 적용 가능한 방식으로 비디오를 분류하기 위해 기존의 3D CNN에서 실행한 테스트 결과와 비교되었습니다. 실험에 사용된 모든 GPU는 NVIDIA GeForce GTX 980 또는 GTX TITAN X였으며, 프로그래밍 언어로는 테아노(Theano)와 라자냐(Lasagne)가 사용되었습니다.

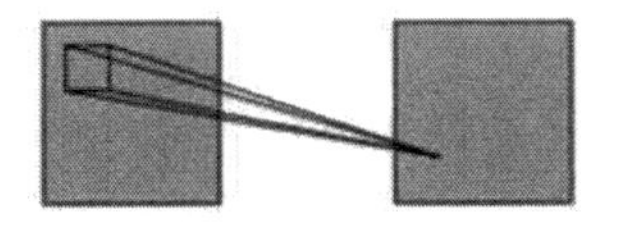

(a) 2D convolution

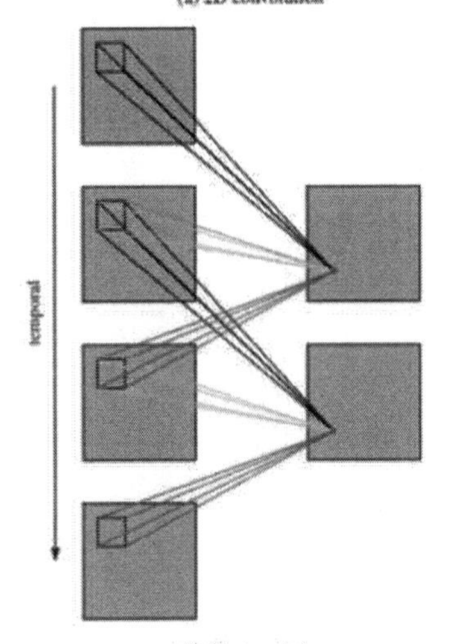

(b) 3D convolution

그림 3.5: 2D(A)와 3D(B)
컨볼루션 비교(3D 필터의
시간적 깊이는 3과 같음).
색상은 공유된 가중치를
나타냅니다.
출처: 컨볼루션 신경망을 위한
비지도 이미지 특징 학습
데이터 수집 및 처리, 2019

4장. 딥 오토인코더 비지도 학습

4.1 소개

딥 오토인코더는 클래스 레이블 없이 입력 벡터와 동일한 크기의 출력 벡터를 생성하는 심층 신경망(DNN)의 변형입니다. 이 기술은 딥러닝 이니셔티브(DLI)에 의해 개발되었으며, 주로 원본 데이터를 정확하게 표현하거나 입력 벡터를 효율적으로 인코딩하는 방법을 숨겨진 레이어에서 학습하는 데 사용됩니다. 자동 인코더는 클래스 레이블에 의존하지 않는 비선형적 특징 추출 방식으로, 생성된 특징을 분류 목적이 아닌 데이터의 더 나은 특성화를 위해 사용합니다.

자동 인코더는 입력 레이어, 숨겨진 레이어, 출력 레이어로 구성됩니다. 입력 레이어는 원본 데이터나 입력 특징 벡터를 나타내고, 숨겨진 레이어는 수정된 특징을 나타내며, 출력 레이어는 재구성 목적으로 입력 레이어와 동일합니다. 자동 인코더의 숨겨진 레이어 수에 따라 데이터 인코딩 능력이 결정됩니다. 숨겨진 레이어의 차원이 입력 레이어보다 크면 특징을 더 높은 차원의 공간에 매핑할 수 있고, 반대로 특징 압축을 목표로 할 때는 숨겨진 레이어의 크기가 작아질 수 있습니다. 자동 인코더의 훈련에는 주로 확률적 경사 하강법이 사용되며, 이는 역전파 알고리즘의 변형 중 하나입니다.

역전파를 사용하는 경우, 여러 개의 숨겨진 레이어를 가진 신경망의 훈련에는 근본적인 문제가 있습니다. 오류가 상위 레이어로 역전파될 때 오류가 줄어들어 훈련 효율성이 떨어질 수 있습니다. 이 문제는 고급 유형의 역전파를 사용하여 어느 정도 해결할 수 있지만, 부족한 학습 데이터는 여전히 문제가 됩니다. 기본적인 자동 인코더로 각 레이어를 사전 학습하는 것이 이 문제를 해결하는 데 도움이 될 수 있습니다. 이 기술을 통해 이미지 매핑 딥 오토인코더와 시맨틱 해싱, 음성 특징 인코딩 등 다양한 용도로 활용될 수 있습니다.

4.2 음성 특징 추출을 위한 딥 오토인코더의 사용

이 기술의 목적은 원시 음성 스펙트로그램 데이터에서 비지도 방식으로 바이너리 음성 코드를 추출하기 위한 자동 인코더를 구축하는 것입니다. 자동 인코더의 생성은 이전 연구의 주제였으며, 이를 통해 음성 정보 검색 시스템과 음성 인식 시스템에 활용될 수 있는 바이너리로 코딩된 음성의 불연속적인 표현을 생성할 수 있습니다. 고해상도 스펙트로그램에서 이진 음성 코드를 추출하는 딥 오토인코더의 아키텍처는 256개 주파수 빈 프레임 패치를 사용하여 구축되었습니다.

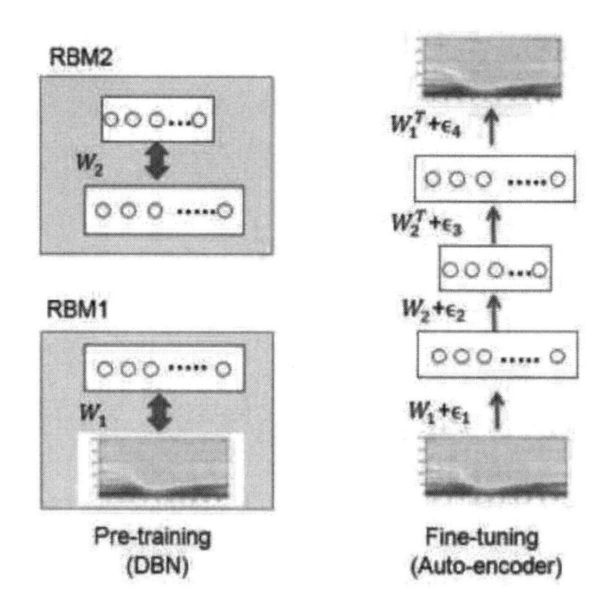

그림 4.1: 고해상도 스펙트로그램에서 이진 음성 코드를 추출하는 데 사용되는 딥 오토인코더의 아키텍처.
출처: 딥러닝의 방법과 응용, 데이터 수집 및 처리, 2013

이 딥 오토인코더는 가우시안 노이즈 선형 변수와 500~3000개의 이진 잠재 변수로 구성된 비지향 가우스-베르누이 모델(RBM)을 사용합니다. 이 모델은 로지스틱 함수를 적용하여 출력 레이어의 실제 값 활성화를 결정하고, 이후 코딩 레이어에서 0과 1 사이의 값으로 변환합니다. 개별 고정 프레임 패치는 이 바이너리 코드를 사용하여 재구성되며, 초기 스펙트로그램은 네트워크 가중치의 상위 두 계층을 통해 재구성됩니다. 딥 오토인코더의 출력은 오버랩 앤 애드 기술을 사용하여 전체 음성 스펙트로그램을 재구성하는 데 사용됩니다. 이 과정에서 256포인트 로그 파워 스펙트럼의 연속적인 중첩 프레임을 개별적으로 조정하여 각 피처가 샘플 전체에서 영평균과 단위 분산을 갖도록 합니다.

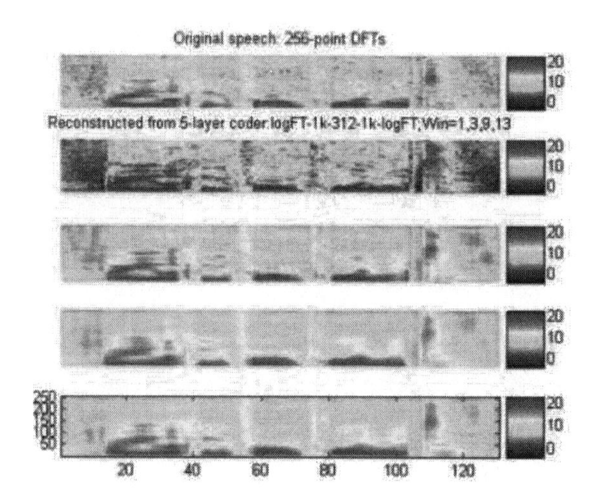

그림 4.2: 위에서 아래로: 서수 스펙트로그램,
코딩 단위가 0의 값(즉, 이진 코드)을 갖도록
강제하면서 N = 1, 3, 9, 13의 입력 창
크기를 사용하여 재구성.
출처: 딥러닝의 방법과 응용, 데이터 수집, 2013

그림 4.2는 맨 위에 있는 수정되지 않은 원본 음성으로 시작합니다. 그 다음에는 312개 단위 병목 코드 계층에서 인코딩 윈도우 길이가 N = 1, 3, 9, 13인 바이너리 코드(0 또는 1)로 재구성된 음성 발화가 순서대로 표시됩니다. 아래 표에서 볼 수 있듯이, N = 9와 N = 13을 사용했을 때 재구성 오류는 훨씬 덜 심각했습니다. 이 기술에서는 딥 오토인코더의 인코딩 오류에 대한 정성적 분석을 수행하여 벡터 양자화(VQ)를 통해 기존 코드

의 인코딩 오류와 비교했습니다. 그림 4.3은 발생할 수 있는 인코딩 오류의 다양한 양상을 보여줍니다. 페이지 맨 위에 첫 번째 음성 발화의 스펙트로그램을 볼 수 있습니다. 312비트 VQ와 312비트 딥 자동 인코더로 각각 재구성한 스펙트로그램이 아래에 제시된 한 쌍의 스펙트로그램에 나와 있습니다. 이 두 가지 중 두 번째가 상당한 차이로 더 정확합니다. 다음은 플롯된 두 코더의 코딩 오류를 시간의 함수로 나타낸 그래프입니다.

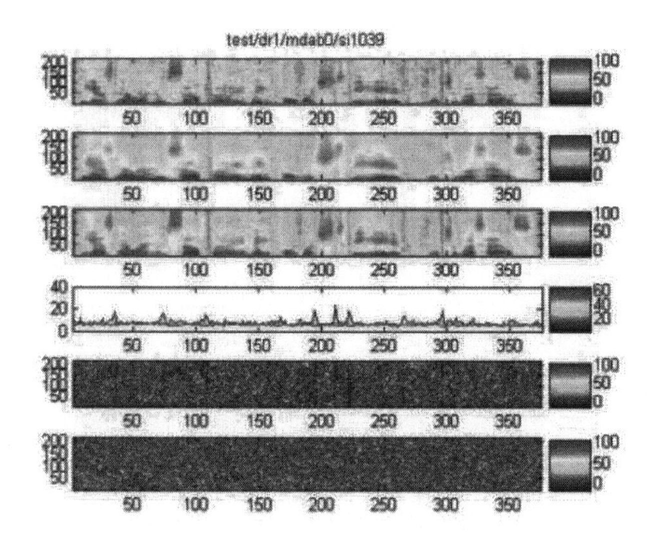

그림 4.3: 위에서 아래로: 테스트 세트의 원본 스펙트로그램, 312비트 VQ 코더의 재구성, 312비트 오토인코더의 재구성, VQ 코더(파란색)와 오토인코더(빨간색)의 시간 함수로서의 코딩 오류, VQ 코더 잔여 스펙트로그램, 딥 오토인코더 잔여 스펙트로그램. 출처: 딥러닝: 방법과 애플리케이션 데이터 수집 및 처리 방법과 애플리케이션, 동유 2013

스펙트로그램 아래에 표시된 이 비교는 빨간색 곡선으로 표시된 자동 인코더가 파란색 곡선으로 표시된 VQ 코더보다 음성 전체에 걸쳐 훨씬 적은 오류를 발생시킨다는 것을 보여줍니다. 다음 두 스펙트로그램은 각각 다양한 시간 구간과 주파수 구간에 대한 자세한 코딩 오류 분포를 보여줍니다. 그림 4.4는 코딩되지 않은 원본 음성 스펙트로그램과 딥 자동 인코더의 도움으로 재구성된 스펙트로그램의 몇 가지 추가 샘플을 보여줍니다. 이 샘플은 공개되지 않은 몇 가지 사례입니다. 이들은 스펙트로그램 샘플에 차례로 표시된 단일 프레임 또는 세 프레임에 적용될 수 있는 다양한 바이너리 코드를 제공합니다.

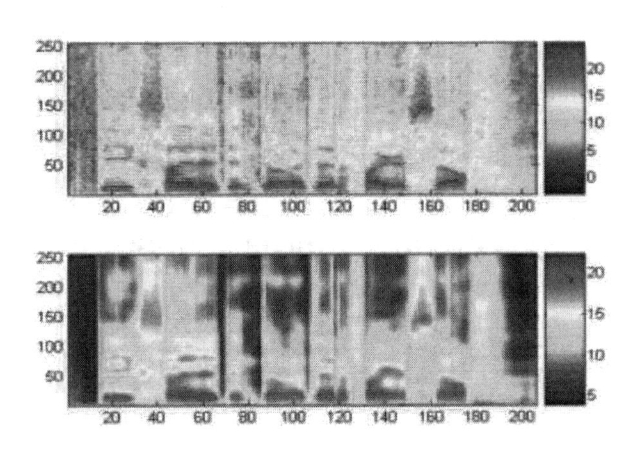

그림 4.4: 원본 음성 스펙트로그램과 재구성된 음성 스펙트로그램. 총 312개의 바이너리 코드가 각 단일 프레임에 하나씩 있습니다.
출처: 딥러닝의 방법과 응용, 2013

4.3 스택형 노이즈 제거 자동 인코더

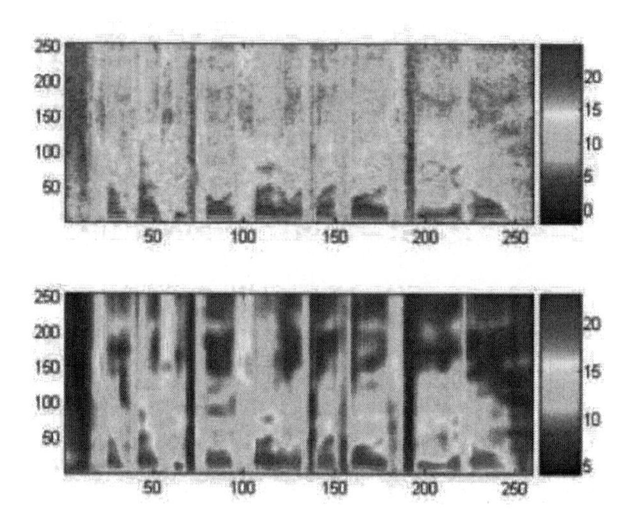

그림 4.5: 그림 4.4와 동일하지만 TIMIT가 다른 음성 발화
출처: 딥러닝의 방법과 응용, 2013

스택형 노이즈 제거 자동 인코더는 입력 계층보다 압축된 차원을 갖는 인코딩 계층을 사용합니다. 일부 애플리케이션에서는 인코딩 레이어가 입력 레이어보다 광범위한 것이 바람직할 수 있습니다. 이 경우, 신경망이 단순한 신원 매핑 기능을 학습하지 못하도록 하는 기술이 필요합니다. 단일 시그모이드 숨겨진 레이어를 가진 특정 노이즈 제거 자동 인코더는 가우시안 RBM과

동일한 기능을 합니다. 훈련은 대조 발산(CD) 또는 지속적 CD가 아닌 점수 매칭 원칙에 따라 수행됩니다. 이 모델은 노이즈의 양이 적어지더라도 데이터를 생성하는 기본 분포의 실제 점수를 추정할 수 있습니다.

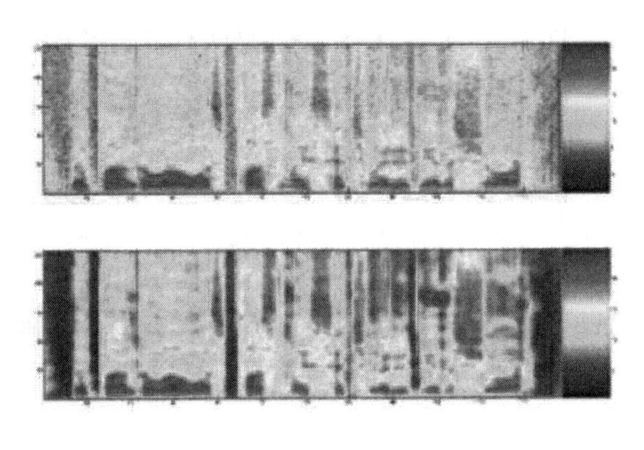

그림 4.6: 원본 음성 스펙트로그램과 재구성된 음성 스펙트로그램. 인접한 세 개의 프레임에 총 936개의 바이너리 코드가 사용됩니다.
출처: 딥러닝: 방법과 응용, 2013

4.4 자동 인코더 변환

딥 오토인코더는 특징 벡터에 대한 충실한 코드를 효과적으로 추출할 수 있습니다. 이는 여러 계층의 비선형 처리 덕분에 가능합니다. 다양한 변환에 적응할 수 있는 코드는 이러한 방식으로 생성된 코드입니다. 모핑 자동 인코더는 이미지 인식에 사용하기 위해 처음 개발되었으며, '캡슐'이라는 독립적인 하위 네트워크를 사용하여 단일 개인을 나타내는 매개변수화된 단일 특징을 추출합니다. 변환 자동 인코더는 입력 벡터와 의도한 출력 벡터를 모두 수신하며, 입력 벡터에 간단한 전역 변환 메커니즘을 적용하여 요청된 출력 벡터를 생성합니다. 이러한 변환은 이미 다른 조정이 이루어진 후에 입력 벡터에 적용됩니다.

4.5 자체 구성 지도 네트워크

방금 설명한 딥 오토인코더는 여러 비선형 처리 계층으로 구성되어 있어, 특징 벡터에 대한 충실한 코드를 시간 효율적으로 추출할 수 있습니다. 그러나 이 프로세스는 결과 코드가 변경에 더 취약할 수 있습니다. 즉, 학습자가 입력 특징 벡터를 수정하면 추출된 코드에 해당 변경 사항이 반영됩니다. 코드가 예측 가능한 방식으로 변화하도록 하는 것은 관찰된 데이터의 기본 변환 불변 특성을 정확하게 특성화하는 데 유용합니다. 모핑 자동 인코더는 이러한 목표를 달성하는 데 도움이 됩니다. '캡슐'은 모핑 자동 인코더의 핵심 구성 요소로, 특정 항목에 특화된 매개변수화된 특징을 추출하기 위한 독립적인 하위 네트워크입니다.

변환 자동 인코더는 입력 벡터와 원하는 출력 벡터를 동시에 처리합니다. 입력 벡터에 간단한 전역 변환 방법을 적용하여 원하는 출력 벡터를 얻습니다. 이는 시각적 번역이나 음성 주파수 변화(성대 길이 변화로 인한) 등에서 발생할 수 있습니다. 모핑 자동 인코더의 코딩 레이어는 다양한 캡슐의 출력을 통합하여 구성됩니다. 훈련 과정에서 각 캡슐은 다양한 엔티티를 추출하는 방법을 학습합니다. 딥 오토인코더는 다양한 생성적 디자인과 비교하여 데이터에서 독립적으로(즉, 분류 레이블 없이) 더 높은 수준의 특성을 생성할 수 있는 능력을 가집니다.

4.6 스파스 심층 신념 네트워크

스파스 코딩은 이미지, 오디오, 텍스트 등 레이블이 지정되지 않은 입력에 대해 유용한 저수준 특징 표현을 얻는 데 효과적입니다. 스파스 코딩을 사용하여 계층적 특징 표현을 생성하는 것은 간단하지 않으며, 이를 최적화하는 데는 계산 비용이 많이 듭니다. 스파스 코딩의 출력 분포는 희박하지만 입력 분포는 그렇지 않다는 가정 때문에, 스파스 코딩의 출력 위에 또 다른 스파스 코딩 레이어를 적용하는 것만으로는 충분하지 않습니다. 또한,

스파스 코딩은 L1 정규화된 최적화에 의존하기 때문에 최적화 프로세스가 비용이 많이 들 수 있습니다.

딥 러닝 알고리즘은 데이터의 고차원적 표현을 학습할 수 있는 능력으로 인해 주목을 받고 있습니다. 힌튼과 그의 동료들은 확률적 그래픽 모델의 구성 요소를 역순으로 학습하는 방법을 제안했습니다. 이 방법은 자동 인코더에 기반한 기법을 사용하여 스파스 코딩과 ICA에 대한 이전 연구를 확장합니다. 제한된 볼츠만 머신(RBM)과 심층 신념 네트워크(DBN)를 사용하여 계층적 구조를 구축하는 방법을 개발했습니다. DBN은 스파스 코딩과 비교하여 경쟁력 있는 이점을 제공하며, 반복적인 최적화 문제 없이 피드 포워드 방식으로 근사 추론을 수행할 수 있어 컴퓨팅 효율성이 높습니다.

스파스 코딩 및 ICA에 대한 이전 연구와 유사하게, 첫 번째 레이어는 국부적이고 방향성이 있는 가보르 함수와 동등한 에지 필터를 생성합니다. 두 번째 레이어는 첫 번째 레이어의 출력과 그 아래에 있는 데이터 사이의 연결을 저장합니다. 이 모델은 " 윤곽선" 특징을 명시적으로 찾으며, 희소성 정규화는 다양한 머신 러닝 작업에서 성능 향상을 가져옵니다. 이 장에서는 희소성 정규화의 개념을 소개하며, 이는 전반적인 성능을 향상시키는 데 효과적인 방법입니다.

4.7 스파스 RBM을 사용한 심층 네트워크 학습하기

네트워크의 각 계층이 학습된 후, 데이터에서 숨겨진 단위의 값이추정됩니다. 이 추정된 값은 복잡한 신념 네트워크의 다음 계층을 훈련하는 데 사용되는 '데이터'로 활용됩니다. 힌튼은 이러한 "탐욕스러운" 반복 전략이 데이터 확률의 변동 한계를 최적화한다는 것을 증명했습니다. 각 계층에는 그 아래 계층과 동일한 수의 유닛이 포함되어 있습니다. 스파스 RBM 접근법을 활용하여 네트워크가 두 개의 숨겨진 레이어를 갖도록 훈련합니다.

스파스 RBM과 스파스 코딩 사이의 유사점과 차이점을 살펴보면, 두 접근법 모두 잠재 변수를 사용하여 입력 데이터를 기저 벡터의 조합으로 표현합니다. 스파스 RBM은 스파스 코딩과 유사한 표현을 학습할 수 있지만, 스파스 코딩은 L1 정규화된 최적화에 의존하며, 이는 계산 비용이 많이 듭니다. 반면에 스파스 RBM은 잠재 변수가 이진 값 중 하나를 취하거나 전혀 취하지 않을 수 있는 방향성 그래픽 모델입니다. 숨겨진 유닛의 평균 활성화에 정규화 페널티를 부과하여 네트워크의 희소성을 제어할 수 있습니다. 스파스 코딩은 노이즈가 많은 입력 데이터를 처리하는 데 효과적이며, 이미지 처리와 같은 영역에서 최첨단 접근 방식과 동등한 수준의 결과를 제공할 수 있습니다. 반면에 RBM은 이진 잠재 변수만 처리할 수 있어 재구성의 정밀도가 절대적으로 필요하지 않은 경우에만 적용됩니다.

다음으로, 스파스 RBM을 활용하여 계층적 표현을 이해하고자 할 때, 현재 최첨단으로 여겨지는 다양한 응용 사례를 살펴봅니다. 희소성 정규화 접근 방식이 자동 인코더에도 사용될 수 있다는 점에 주목합니다. 자동 인코더는 숨겨진 표현을 사용하여 데이터를 인코딩하고, 원본 입력을 복구하는 것을 목표로 합니다. 역전파를 사용하여 훈련할 수 있으며, 희소성 업데이트 접근 방식은 다양한 활성화 함수와 함께 사용될 수 있습니다. 스파스 자동 인코더는 스파스 RBM이 획득한 것과 질적으로 동등한 특징을 획득할 수 있으며, 라벨이 없는 입력에서 관련 특징을 적절히 추출하는 데 활용될 수 있습니다.

4.8 손으로 쓴 숫자로부터 '펜 스트로크' 학습하기

MNIST 필기 숫자 데이터 세트에 스파스 RBM 접근법을 적용했습니다. 데이터 세트를 정규화하고 PCA-화이트닝을 사용하여 차원을 줄였습니다. 69개의 가시 유닛과 200개의 숨겨진 유닛으로 구성된 스파스 RBM을 훈련했습니다. 그림 4.7은 학습된 기저를 보여줍니다. 이 알고리즘은 손으로 쓴 숫자를 구성하는 펜 스트로크를 대략적으로 표현합니다. 스파스 RBM 접근법을 사용하여 개발된 스파스 표현은 다른 접근법의 결과와 일치합니다.

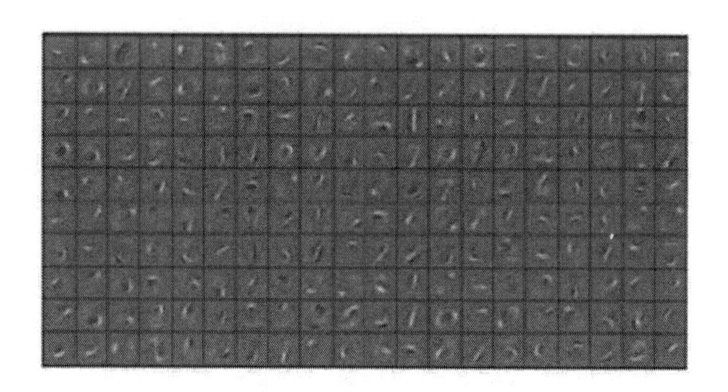

그림 4.7: 희소 RBM을 사용하여 MNIST
데이터에서 학습한 베이스
출처: 희소 계층적 표현을 통한 비지도 특징 학습
데이터 수집 및 처리, 2010

이 기술은 스파스 RBM이 스파스 코딩과 유사한 표현을 학습할 수 있음을 보여주며, 라벨이 없는 입력에서 관련 특징을 적절히 추출하는 데 활용될 수 있는 잠재력을 가지고 있음을 시사합니다.

4.9 스파스 RBM을 사용하여 자연 이미지의 2계층 모델 학습하기

우리는 하나의 스파스 RBM을 다른 RBM 위에 쌓아 올리는 방식으로 2계층 네트워크를 학습했습니다. 이 과정을 통해 두 번째 레이어에는 소수의 가중치만이 높은 값을 가지며, 이들은 주로 양수 또는 음수의 극단적인 값입니다. 첫 번째 레이어와 두 번째 레이어 사이의 연결은 양의 가중치로 자극적 연결을, 음의 가중치로 억제적 연결을 나타냅니다. 두 번째 레이어의 기저를 시각화하면 인코딩된 기저를 확인할 수 있습니다.

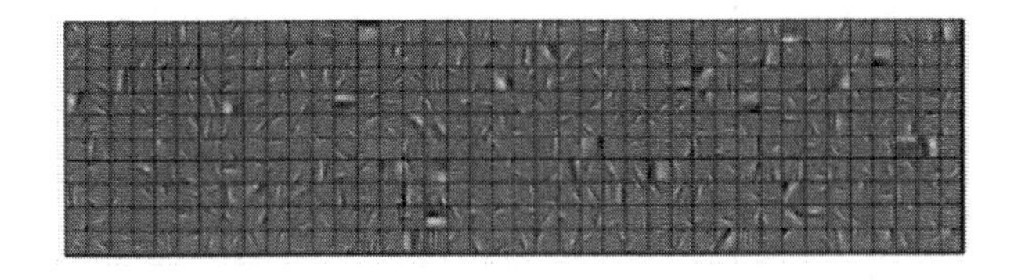

그림 4.8: 알고리즘을 사용해 반 하테렌 자연 이미지 데이터세트에서 학습한 400개의 첫 번째 레이어 염기.
출처: 희소 계층적 표현을 통한 비지도 특징 학습 데이터 수집 및 처리, 2010

첫 번째 계층은 공동 선형 기저와 에지 접합을 포함합니다. 스파스 RBM을 확장하여 두 개의 추가 레이어를 포함하고, 욕심 학습을 사용한 후, 모델이 윤곽선, 각도 및 가장자리 접합을 인코딩하는 기저를 학습할 수 있음을 확인했습니다.

5장. 사전 학습된 딥 뉴럴 네트워크 하이브리드

5.1 소개

이 장에서는 이미 훈련된 심층 신경망(DNN)을 포함한 하이브리드 딥 아키텍처를 논의합니다. RBM 및 DBN과 같은 관련 절차 및 구성 요소에 대해서도 논의할 것입니다. DNN은 하이브리드 모델로서, 비지도 학습 모델에서 자연스럽게 DNN으로 전환됩니다. 차별적 미세 조정을 용이하게 하기 위해 비지도 사전 학습을 활용하는 DNN의 하이브리드 특성은 사전 지식 없이도 이해할 수 있습니다.

RBM은 광범위한 훈련을 거쳐야 하며, 이는 성공을 보장하기 위한 필수 단계입니다. RBM은 생성형 모델이자 비지도형 모델로, 숨겨진 변수를 사용하여 입력 데이터의 분포를 설명합니다. 레이블 정보를 사용할 수 있는 경우, 이를 데이터와 함께 활용하여 병합된 '데이터' 집합을 구성할 수 있습니다. 데이터 확률 관련 근사치의 "생성" 목적 함수는 CD 학습과 동일한 접근 방식을 사용하여 최적화할 수 있습니다.

RBM의 변별력 있는 버전은 분류에 활용되는 다른 RBM을 '미세 조정'하는 데 사용될 수 있습니다. SESM은 RBM과 유사하지만, 평균 에너지와 추가 코딩 희소성 요소를 최소화하는 방식으로 훈련됩니다. RBM은 로그 파티션 함수의 근사치를 사용하는 반면, SESM은 희소성 항에 의존합니다. RBM은 코드 단위를 " 노이즈" 및 2진법으로 설명하는 반면, SESM은 "준2진법" 및 스파스로 설명합니다.

음성 인식을 위한 DNN의 사전 학습 과정에서 SESM이 구현되는 방식을 이해하려면 관련 리소스를 참조할 수 있습니다. 이러한 신경망은 숨겨진 표현을 사용하여 데이터를 인코딩하고, 원본 입력을 복구하는 것을 목표로 합니다. 자동 인코더는 역전파를 사용하여 훈련할 수 있으며, 희소성 업데이트 접근 방식은 다양한 활성화 함수와 함께 사용될 수 있습니다. 스파스 자동 인코더는 스파스 RBM이 획득한 것과 질적으로 동등한 특징을 획득할 수 있으며, 라벨이 없는 입력에서 관련 특징을 적절히 추출하는 데 활용될 수 있습니다.

5.2 비지도 레이어별 사전 훈련

5.2 비지도 레이어별 사전 훈련

이 섹션에서는 딥 뉴럴 네트워크(DNN)의 사전 학습을 위한 기반으로 다중 RBM을 쌓아 올려 딥 빌리프 네트워크(DBN)를 구축하는 과정을 안내합니다. 이 과정을 'RBM 스태킹'이라고 합니다. Hinton과 Salakhutdinov가 개발한 이 접근 방식은 비지도 계층별 사전 학습 전략의 일반화된 변형입니다. 이 접근 방식은 다양한 유형의 네트워크를 계층화하여 심층 생성 또는 차별 네트워크를 생성할 수 있습니다.

Bengio는 자동 인코더의 변형을 포함한 다양한 네트워크 유형을 제시했습니다. DBN은 여러 개의 RBM을 쌓아서 생성되며, 각 단계는 점점 더 복잡한 데이터 세트를 학습합니다. 스태킹 방법은 베르누이-베르누이 RBM과 가우시안-베르누이 RBM을 사용하여 설명됩니다. 가우시안-베르누이 RBM을 학습한 후, 숨겨진 유닛의 활성화 확률을 다음 레이어의 데이터로 사용합니다.

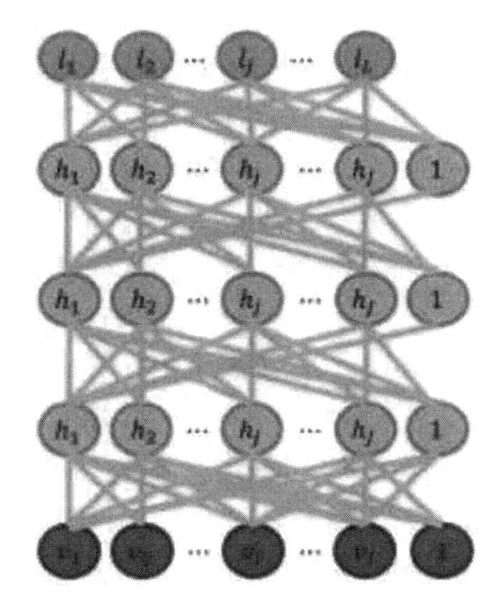

그림 5.1: DBN-DNN 아키텍처의
그림.
출처: 딥러닝의 방법과 응용, 2013

이 방식은 생성적 사전 훈련 후에 차별적 학습을 적용하여 네트워크의 성능을 향상시킬 수 있습니다. 이 과정에서는 원하는 출력 또는 레이블을 반영하기 위해 훈련 데이터에 변수 계층을 추가합니다.

생성적 사전 학습은 분류 문제에 적용된 후에 네트워크는 차별적인 학습 방법인 추가 학습 방법을 적용받을 수 있습니다. 이러한 차별적 미세 조정은 역전파를 활용하여 수행됩니다.

DNN을 훈련하는 가장 효과적인 방법 중 하나는 얕은 신경망으로 시작한 후 점차적으로 레이어를 추가하는 것입니다. 이 과정은 원하는 깊이의 숨겨진 레이어에 도달할 때까지 반복되며, 이후에는 역전파를 활용한 포괄적인 "미세 조정" 절차가 수행됩니다.

차별적인 '사전 학습' 접근 방식은 특히 학습 데이터가 충분할 때 매우 효과적입니다. DBN을 구축하는 과정에서 RBM을 활용한 사전 학습은 데이터의 양에 관계없이 유리한 것으로 나타났습니다.

RBM과 DBN 외에도 노이즈 제거 자동 인코더와 같은 다른 접근 방식도 구현할 수 있습니다. 노이즈 제거 자동 인코더는 정확한 분포 추정기로 입증되었으며, 이를 스택하여 레이어별 사전 학습을 수행할 수 있습니다.

이러한 접근 방식은 딥러닝의 다양한 챕터에서 레이어별 사전 학습의 기초로 사용될 수 있습니다. RBM을 단일 레이어 학습기로 사용하는 것은 비지도 사전 학습에 필요한 상황에서 효과적입니다. 또한, 사전 학습된 비지도 특징을 기반으로 독립적인 분류기를 학습할 수도 있습니다.

5.3 HMM과 DNN의 연동

사전 학습된 딥 뉴럴 네트워크(DNN)는 정적 분류기 역할을 하며, 하이브리드 딥 네트워크의 예시로 볼 수 있습니다. 이러한 네트워크는 모든 입력 벡터에 걸쳐 차원이 균일합니다. 시퀀스 인식은 음성 인식, 기계 번역, 자연어 이해, 비디오 처리, 생체 정보 처리 등 다양한 문제를 해결하는 데 필수적입니다. 시퀀스 인식은 구조화된 입/출력을 사용하며, 입력과 출력의 크기가 다양할 수 있습니다.

숨겨진 마르코프 모델(HMM)은 정적 분류기를 동적 또는 순차적 패턴 프로세서로 변환하는 데 유용합니다. 피드 포워드 신경망과 HMM을 결합하면 정적 패턴 인식과 순차적 패턴 식별 사이의 격차를 해소할 수 있습니다. 이러한 결합은 음성 인식에서 자주 사용되었습니다.

5.4 채널 연결이 집계된 SOMNet

이미지 분류는 딥러닝 기술의 주요 응용 분야 중 하나입니다. 강력한 특징 표현은 서로 다른 클래스를 구별할 수 있어야 하며, 같은 클래스 내에서도 일관성을 유지해야 합니다. 이 분야에서는 과거에 수공예품 기법이 표준이었으나, 최근에는 딥 모델을 사용하여 레이블이 지정되거나 지정되지 않은 데이터로부터 표현을 학습하는 방법이 발전하고 있습니다. 이러한 딥 모델은 상위 수준의 특성을 자동으로 발견하는 능력이 있습니다.

딥러닝 모델은 효과적이지만, 많은 매개변수를 미세 조정해야 하는 어려움이 있습니다. 최근 연구에서는 제한된 필터 뱅크를 사용하는 간단한 딥러닝 접근 방식이 효과적임을 보여주었습니다. 이 접근 방식은 자기조직화지도(SOM)와 k-평균 방법을 사용하여 필터 뱅크 '사전'을 학습시키는 것을 포함합니다. SOMNet은 혁신적인 인코딩 전략을 사용하여 더 많은 수의 필터를 포함할 수 있었습니다.

딥러닝 모델은 종종 높은 수준의 특징을 학습하지만, 이러한 특징이 입력의 상위 수준 표현과 시각적으로 일치하지 않을 수 있습니다. 딥러닝의 전통적인 접근 방식은 여러 계층에 걸쳐 특징 계층을 구축하는 것을 포함합니다. 이러한 특징 계층은 하위 계층의 특징을 결합하여 더 높은 수준의 특징을 생성합니다.

최근 연구에서는 무작위 네트워크 가지치기가 특정 상황에서 성능 향상을 가져올 수 있다고 제안되었습니다. 이 접근 방식은 네트워크의 다양한 수준을 연결하는 데 사용될 수 있으며, 채널 풀링을 사용하여 다양한 피처 맵을 통합합니다. 비지도 다층 아키텍처에 대한 축소된 연결 체계의 적용은 전체 연결을 학습하는 비지도 방식과 관련된 문제를 해결하는 데 도움이 될 수 있습니다.

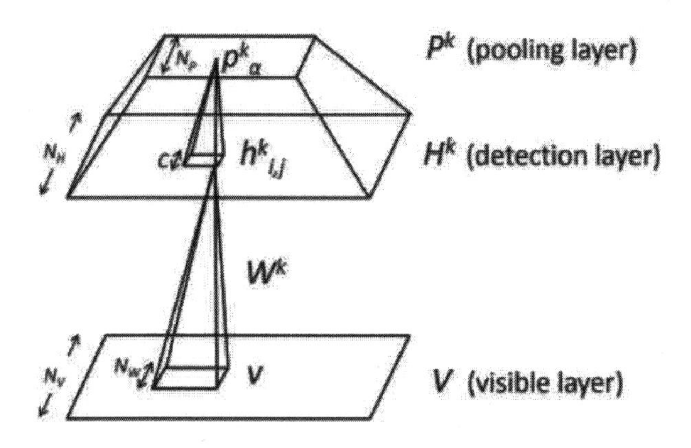

그림 5.2: 확률론적 최대 풀링이 적용된 컨볼루션 RBM. 단순화를 위해 탐지 레이어와 풀링 레이어의 그룹 K만 표시함. 기본 CRBM은 가시 레이어와 감지(숨김) 레이어만 있는 단순화된 구조에 해당함. 출처: 희소 계층적 표현을 통한 비지도 특징 학습 데이터 수집 및 처리, 2010

이 장에서는 로컬 수용 필드를 연산 학습 변수로 선택함으로써 하위 수준의 특징에서 데이터 종속적인 고차 특징을 학습하는 새로운 접근 방식을 소개합니다. 이 접근 방식은 이 책의 앞부분에서 설명된 이전 전략에서 직접적으로 파생된 것입니다. 이 목표를 달성하기 위해 두 개의 계층으로 구성된 SOMNet(자기조직화지도 네트워크) 설계가 활용됩니다. 첫 번째 레이어와 두 번째 레이어 사이에 새로운 레이어를 설치함으로써 SOMNet의 설계가 확장되었습니다. 이 새로운 레이어는 그 아래 레이어의 활성화를 집계하는 역할을 담당하여 SOMNet이 계층적 특성을 학습할 수 있도록 합니다.

이 기술은 경쟁력 있는 SOM(자기조직화지도) 알고리즘을 사용하며, 손으로 쓴 숫자 식별 작업에 적용했을 때 경쟁력 있는 결과를 도출합니다. 이 특징 학습 방법은 복잡한 딥러닝 모델과 달리 수동으로 많은 파라미터를 조정할 필요가 없습니다. 벡터 양자화(VQ)라고 불리는 이 기술은 컴퓨터 비전 분야에서 많은 관심과 활용을 받고 있습니다. '특징 학습' 프로세스는 SOM 및 k-평균과 같은 알고리즘의 도움으로 촉진될 수 있으며, 이러한 특징은 입력을 더 높은 수준의 이미지 표현으로 매핑하거나 인코딩하는 과정에서 활용됩니다.

최근 연구에 따르면 k-평균 알고리즘은 올바른 데이터 준비 및 단일 계층 네트워크의 인코딩과 함께 사용할 경우 효율적이고 효과적인 방법입니다. 자기 조직화 알고리즘은 토폴로지를 유지하는 k-평균 알고리즘의 대안으로, 경쟁 학습을 통해 입력 분포를 정량화하고 지형 구조를 유지합니다. SOM은 초기화 문제와 이상값 문제에 더 강한 이유는 이웃 정보를 유지하기 때문입니다. 패턴 인식 영역에서는 특징 학습을 목적으로 SOM을 사용하는 연구가 진행되어 왔습니다. PCANet은 이 새로운 접근 방식의 프레임워크로, 필터 뱅크의 학습을 간소화하고, 공분산 행렬의 직접적인 결과인 필터 직교도 및 필터 크기와 관련하여 PCA가 부과하는 제한을 줄였습니다.

PCANet은 입력 데이터를 기반으로 주성분 분석(PCA)을 수행하여 각 레이어에 대한 필터 뱅크를 훈련합니다. 필터 뱅크는 표준 피드 포워드 컨볼루션 아키텍처에 추가되며, 바이너리화 통계 이미지 특징(BSIF)이라는 기술을 사용하여 활성화를 이진화하고, 로컬 히스토그램을 구성한 다음, 최종 특징 벡터를 만듭니다.

이 접근 방식은 비지도 접근법을 사용하여 학습할 수 있는 수많은 측면을 식별하는 데 관심을 갖는 학자들이 급증하고 있음을 보여줍니다. 비지도 단일 계층 네트워크의 인코딩 방법을 선택하는 것이 사전 학습 전략을 선택하는 것보다 훨씬 더 중요하다는 사실이 밝혀졌습니다. 1x1 컨볼루션을 학습하기 위해 경사 하강 알고리즘이 잠재적인 학습 방법으로 개발되었으며, 네트워크가 어떤 조합이 최상의 결과를 산출하는지 결정할 수 있도록 처음부터 품질을 무작위 방식으로 배열하는 것이 좋다고 조언됩니다.

5.5 컨볼루션 심층 신념 네트워크(Convolutional Deep Belief Networks, CDBNs)

인간이 환경을 인식할 때, 개별 픽셀과 테두리부터 객체 부분과 개별 객체, 그리고 더 높은 수준까지 모든 것을 조사합니다. 최근 몇 년 동안, 여러 수준을 동시에 나타낼 수 있는 계층적 모델에 대한 관심이 증가하고 있습니다. 이상적인 세계에서는 이러한 '심층' 표현이 특징 검출기 계층 구조 트리를 학습하고 하향식 및 상향식 사진 분석 방법을 결합할 수 있을 것입니다. 예를 들어, 하위 계층은 사물 인식을 지원하기 위해 항목 구성 요소를 나타내는 낮은 수준의 특성을 식별할 수 있습니다. 상위 수준의 정보는 더 정확할 수 있으며, 하위 수준의 이미지에서 모호함을 해결하거나 숨겨진 물체 일부의 위치를 추론할 수도 있습니다. 이 장에서는 인간의 감독 없이도 학습할 수 있는 이미지 생성 모델을 개발하기 위해 이전 장에서 설명한 심층 신념 네트워크(DBNs)를 기반으로 합니다. 통제된 영역에서 입증된 성능에서 보다 실용적인 크기의 그림으로 DBN을 확장하는 것은 어려운 일입니다. 이미지에서 항목이 표시되어야 하는 위치가 미리 정해져 있지 않으므로, 표현은 입력의 로컬 번역에 대해 불변해야 합니다. 이 장에서는 모든 크기의 사진에 적용할 수 있는 계층적 생성 모델인 컨볼루션 심층 신념 네트워크에 대해 설명합니다.

5.6 확률론적 최대 풀링(Probabilistic Max Pooling)

더 높은 수준의 표현을 얻기 위해, Conditional Restricted Boltzmann Machines (CRBMs)을 DBN과 유사한 다층 아키텍처로 쌓습니다. 이러한 구조에서는 입력 영역이 계층 구조가 위로 올라갈수록 확장되며, 이는 특히 상위 수준의 특징 감지기의 경우 더욱 두드러집니다. 컨볼루션 네트워크와 다른 기존의 번역 불변 표현은 일반적으로 '감지' 레이어와 '풀링' 레이어를 번갈아 사용합니다. '감지' 레이어는 특징 감지기를 그 앞에 있는 레이어와 컨볼루션하여 응답을 계산하는 레이어이고, '풀링' 레이어는 감지 레이어의 표현을 축소하는 레이어입니다. 풀링 레이어의 유닛은 감지 레이어에서 가장 활성화된 유닛이 있는 하위 영역을 파악하고 최대 활성화를 계산합니다. 최대 풀링으로 표현의 크기를 제어하면 상위 계층 표현은 입력의 약간의 변환에도 변하지 않는 상태를 유지할 수 있습니다. 그러나 이러한 디자인은 결정론적 최대 풀링 연산자와 함께 사용되기 때문에 확률적 추론을 수행하기 어렵습니다. 따라서, 이 모델은 확률적 추론을 할 수 있고, 실제 사진 크기에 맞게 확장할 수 있으며, 감독 없이도 작동하는 최초의 모델입니다. 네트워크의 구조상 첫 번째, 두 번째, 세 번째 레이어는 독립적으로 가장자리, 객체 구성 요소, 객체를 인식하는 방법을 학습할 수 있습니다. 이러한 표현은 다양한 시각적 인식 테스트에서 우수한 성능을 보이며, 높은 수준의 정보만을 사용해 '숨겨진' 객체 부분을 추론하는 것도 가능합니다.

5.7 컨볼루션 심층 신념 네트워크(Convolutional Deep Belief Networks, CDBNs)

이제 실물 크기의 사진을 생성하기 위한 계층적 모델인 컨볼루션 심층 신념 네트워크(CDBN)를 구축할 수 있습니다. 이 설계는 여러 개의 스택형 최대 풀링 Conditional Restricted Boltzmann Machines (CRBMs)으로 구성되며, 이는 분산 바이너리 네트워크(Distributed Binary Networks, DBNs)와 유사합니다. 각 레이어 쌍의 에너지 함수를 합산하여 네트워크의 전체 에너지 함수를 계산합니다. 특정 레이어의 훈련이 완료되면, 그 레이어의 가중치가 고정되고 해당 레이어의 활성화가 다음 레이어의 입력으로 사용됩니다. 훈련은 탐욕스러운 계층별 방식으로 진행됩니다. 각 중간 숨겨진 계층의 편향은 두 번 학습되며, 한 번은 해당 레이어가 CRBM의 숨겨진 레이어로 간주될 때, 다른 한 번은 보이는 레이어로 간주될 때입니다. 최하위 계층은 이러한 각 학습 시나리오에서 보이는 단위로 사용됩니다. 탐욕스럽게 훈련된 가중치는 훈련 과정의 초기화로 사용됩니다.

레이블이 지정되지 않은 데이터를 사용하는 자율 학습은 지도 학습 작업에 유용할 수 있습니다. 이전 연구에서는 레이블이 없는 입력을 사용해 단일 레이어 모델을 훈련하기 위해 스파스 코딩을 사용했습니다. 이 지식은 지도 학습을 위한 특징을 생성하는 데 활용되었습니다. 2계층 CDBN을 분석할 때, Caltech-101 과제에서 설명한 방법과 유사한 방법을 사용했습니다. 이미지의 긴 면이 150픽셀이 되도록 크기를 조정한 후, CDBN의 첫 번째와 두 번째 레이어의 활성화를 추정했습니다. 데이터를 분류하기 위해 서포트 벡터 머신(SVM)에 공간 피라미드 매칭 커널을 사용했습니다. 첫 번째와 두 번째 레이어를 함께 사용하면 첫 번째 레이어만 사용할 때보다 분류 정확도가 크게 향상됩니다. 카테고리당 30장의 훈련 이미지를 사용하면 65.4%의 성공률을 얻을 수 있습니다. CDBN은 자연 이미지 외에는 분류 프로세스에 어떠한 입력도 하지 않았습니다.

5.8 계층적 확률론적 추론(Hierarchical Probabilistic Inference)

인간의 시각적 두뇌는 이론적으로 "계층적 베이지안 추론"에 관여하는 것으로 개념적으로 설명될 수 있습니다. 예를 들어, 얼굴 사진의 일부가 가려져 있어도 얼굴을 식별할 수 있고, 그 이미지를 이전에 얼굴에 대한 경험과 통합하여 어두운 부분이 무엇인지 추론할 수 있습니다. 이 실험을 통해 모델은 실물 크기의 이미지에 대해 계층적 확률론적 추론을 정확하고 추적 가능한 방식으로 수행할 수 있음을 보여줄 수 있었습니다 (그림 5.3). 네트워크는 얼굴을 식별하도록 훈련된 후, 다른 얼굴 이미지를 선택하여 평가했습니다. 사진의 왼쪽에 있는 모든 데이터를 지워 각 이미지에 대한 오클루전을 시뮬레이션한 후, 깁스 샘플링을 수행했습니다. 이 결과는 단 한 번의 상향 통과만 이루어진 "대조" 시나리오와 비교되었습니다. 이 실험은 하향식 추론에 대한 개념 증명으로, 이 기술의 미래에 대해 긍정적으로 볼 수 있는 근거를 제공합니다.

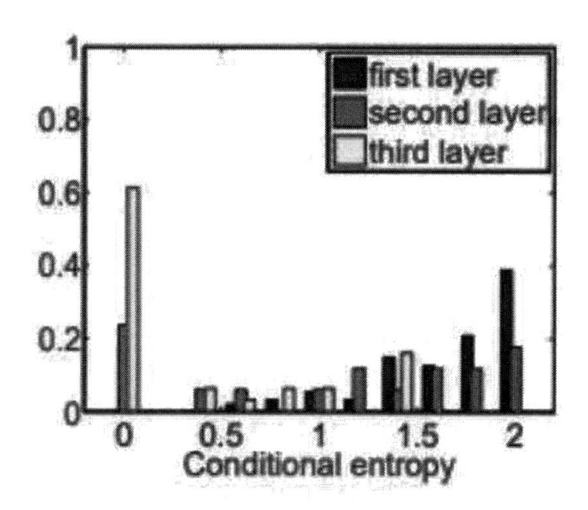

그림 5.3: 네 가지 객체 클래스를 혼합하여 학습한 표현에 대한 조건부 엔트로피의 히스토그램.
출처: 희소 계층적 표현을 통한 비지도 특징 학습 데이터 수집 및 처리, 2010

6장. 딥 스태킹 네트워크와 변형 지도 학습
(Deep Stacking Networks and Transductive Learning)

6.1 소개

심층 신경망(Deep Neural Networks, DNNs)의 훈련은 계산적으로 어려운 작업이지만, 음성 인식 및 이미지 분류와 같은 인식 및 분류 작업에서 DNN의 성공이 입증되었습니다. 확률론적 경사 하강(Stochastic Gradient Descent, SGD) 방법론은 DNN 훈련에 널리 사용되지만, 컴퓨터 간 병렬화가 어렵다는 단점이 있습니다. DNN 기반 음성 인식기는 강력한 단일 GPU 시스템에서 높은 정확도로 훈련될 수 있지만, 대규모 훈련 데이터에 대한 확장성은 아직 명확하지 않습니다. 이 장에서는 딥 스태킹 네트워크(Deep Stacking Networks, DSN)라는 새로운 딥 러닝 방법을 소개합니다. DSN의 핵심 아이디어는 스태킹(Stacking)으로, 더 간단한 함수나 분류자를 서로 쌓아 더 복잡한 것을 학습하는 것입니다.

스태킹 방법에는 다양한 대체 방법이 있으며, 기본 모듈에서 지도 데이터가 자주 활용됩니다. 조건부 랜덤 필드(Conditional Random Fields, CRFs)는 스태킹에 사용되는 기본 모듈 중 하나입니다. 이러한 딥 아키텍처는 자연어 및 음성 인식에 사용되며, 숨겨진 상태를 포함하여 개발되었습니다. 심층 컨벡스 네트워크(Deep Convex Networks, DCNs)는 DSN 설계의 초기 명칭이었습니다. DSN은 기본 모듈을 쌓아 올려 복잡한 구조를 간단하게 표현합니다. 이 구조는 다층 퍼셉트론(Multi-Layer Perceptron, MLP)으로 구성됩니다. 숨겨진 유닛의 활동을 고려할 때, 출력 유닛의 선형성은 효율적이고 병렬화 가능하며, 정확한 출력 네트워크 가중치의 폐쇄형 추정을 가능하게 합니다.

6.2 딥 스태킹 네트워크의 기본 아키텍처

그림 6.1에 표시된 것처럼 직접 시퀀스 네트워크(Direct Sequence Networks, DSNs)는 하나 이상의 모듈 계층을 포함할 수 있으며, 각 구성 요소는 신경망으로 구성됩니다. 네트워크에는 숨겨진 계층이 하나만 있으며, 각 모듈은 다른 색조로 표시됩니다. DSN 모듈에는 선형 입력 레이어, 비선형 숨겨진 레이어, 선형 출력 레이어가 포함됩니다. 일반적으로 숨겨진 레이

어에는 시그모이드 비선형성이 적용됩니다. DSN이 이미지 인식에 사용될 경우, 입력 단위는 이미지의 픽셀 그룹을 나타낼 수 있으며, DSN이 음성 인식에 사용될 경우, 입력 단위는 원시 음성 파형 샘플 또는 파생된 특징을 나타낼 수 있습니다. 선형 출력 계층의 출력 단위는 분류 목표에 따라 달라질 수 있습니다.

최하위 계층의 가중치 행렬(W)은 숨겨진 비선형 계층과 선형 입력 계층 간의 연결을 설정하며, 상위 레이어 가중치 행렬(U)은 숨겨진 계층을 선형 출력 계층에 연결합니다. 평균 제곱 오차 훈련 기준을 사용할 때, 가중치 행렬 W를 알고 있는 경우, 폐쇄형 해를 사용하여 가중치 행렬 U를 구성할 수 있습니다. DSN은 배치 모드에서 학습할 수 있으며, 여러 CPU 노드에 분산할 수 있습니다. DSN은 볼록 최적화를 활용하여 숨겨진 유닛의 활동으로부터 출력 네트워크 가중치를 도출합니다. 이러한 가중치는 볼록성에 의해 형성되는 입력 가중치와 출력 가중치 사이의 폐쇄형 한계를 통해 효율적으로 학습됩니다.

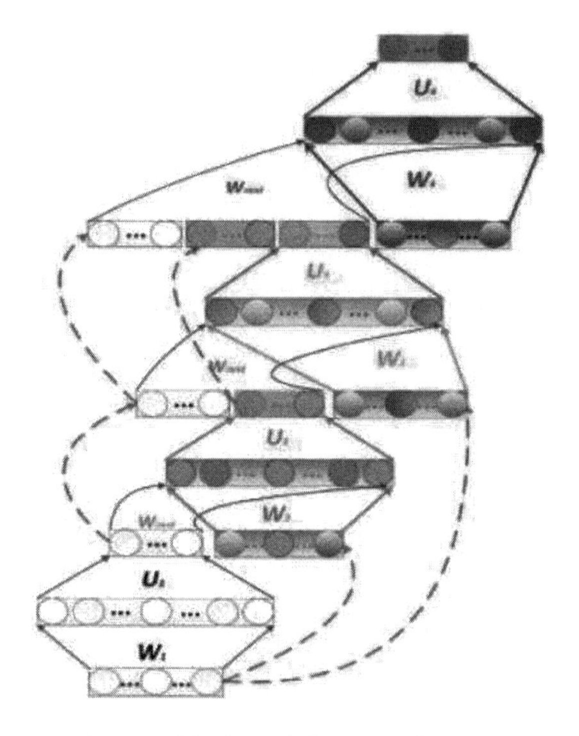

그림 6.1: 입출력 스태킹을 사용하는 DSN 아키텍처. 네 개의 모듈이 각각 고유한 색상으로 표시되어 있음. 파선은 복사 레이어를 나타냄. 출처: 딥러닝: 방법과 응용 데이터 수집 및 처리, 2013

앞서 설명한 것처럼, 딥 스태킹 네트워크(Deep Stacking Networks, DSN)는 서로 겹치고 쌓일 수 있는, 서로 연결된 모듈들의 모음으로 구성됩니다. 각 모듈은 입력 레이어, 비선형 숨겨진 레이어(Hidden Layer), 그리고 출력 레이어로 이루어져 있습니다. DSN에서는 하위 모듈의 출력 단위가 인접한 상위 모듈의 입력 단위의 하위 집합으로 사용됩니다. 이것이 DSN의 핵심 작동 방식입니다.

볼록 최적화(Convex Optimization)를 통해 숨겨진 단위와 선형 출력 단위 간의 연결 가중치를 반영하는 가중치 행렬을 학습하는 것은 DSN의 중요한 특징입니다. 이러한 가중치 행렬은 하위 모듈의 출력 단위를 상위 모듈의 입력 단위로 통합하는 패턴을 따릅니다. 결과적으로, 훈련된 DSN은 음성 통화 또는 상태 분류와 같은 자동화된 분류 작업에 사용될 수 있으며, 연속 음성 인식과 같은 순차적 패턴 인식 작업에도 적용될 수 있습니다. 이러한 작업은 DSN의 출력을 숨겨진 마르코프 모델(Hidden Markov Model, HMM) 또는 다른 유형의 동적 프로그래밍 장치에 연결하여 수행할 수 있습니다.

6.3 텐서 딥 스태킹 네트워크(Tensor DSN)

최근에는 DSN 아키텍처의 텐서화된 변형이 개발되었으며, 이를 텐서 DSN(Tensor DSN, TDSN)이라고 합니다. TDSN은 고차 기능 상호 작용을 제공함으로써 DSN을 일반화하며, 병렬 학습이 가능합니다. TDSN의 아키텍처는 DSN과 유사하지만, 각 TDSN 모듈에는 두 개의 고유한 숨겨진 레이어가 포함되어 있으며, 이는 DSN과의 주요 차이점입니다. TDSN에서는 상위 계층 가중치가 2차원 배열인 행렬에서 3차원 배열인 텐서로 변환됩니다. DSN은 그림 6.2의 왼쪽 패널에서 볼 수 있듯이 하나의 은닉 유닛 그룹을 사용하며, 이 유닛은 모두 함께 작동하여 은닉 계층을 생성합니다. 이와는 대조적으로, 각 TDSN 모듈에는 그림 6.2의 중앙과 오른쪽 패널에 각각 표시된 것처럼 두 개의 고유한 숨겨진 레이어가 포함되어 있습니다. 이러한 차이로 인해 그림 6.2에서 문자 "U"로 표시되는 상위 계층 가중치는 DSN에서는 2차원 배열인 행렬에서 3차원 배열인 텐서로 변환됩니다. 이 변환은 만화의 중앙 패널에 문자 "U"가 새겨진 정육면체로 표시되어 있습니다.

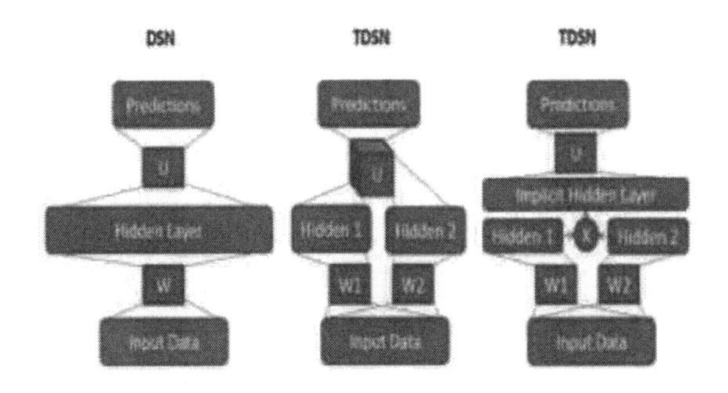

그림 6.2: DSN의 단일 모듈(왼쪽)과 텐서 DSN(TDSN)의 모듈 비교. 오른쪽에는 두 가지 동등한 형태의 TDSN 모듈이 나와 있음. 출처: 딥러닝: 방법과 응용 데이터 수집 및 처리, 2013

TDSN의 텐서 U는 예측 레이어로 이동하는 방향과 두 개의 서로 다른 숨겨진 레이어로 연결되는 방향을 가집니다. TDSN은 두 개의 서로 다른 숨겨진 레이어를 결합하여 암시적인 숨겨진 레이어를 생성하고, 이를 외부 곱(Outer Product)으로 확장합니다. 이렇게 생성된 거대한 벡터는 두 숨겨진 레이어 벡터 세트에서 가능한 모든 곱의 표현을 갖습니다. 최종 결과는 예측 레이어의 크기에 두 숨겨진 레이어 크기의 곱을 곱한 값인 텐서 U가 됩니다. 그림 6.2의 오른쪽에는 이 TDSN 구성 요소의 또 다른 표현이 있으며, 실제 작동하는 모습을 볼 수 있습니다.

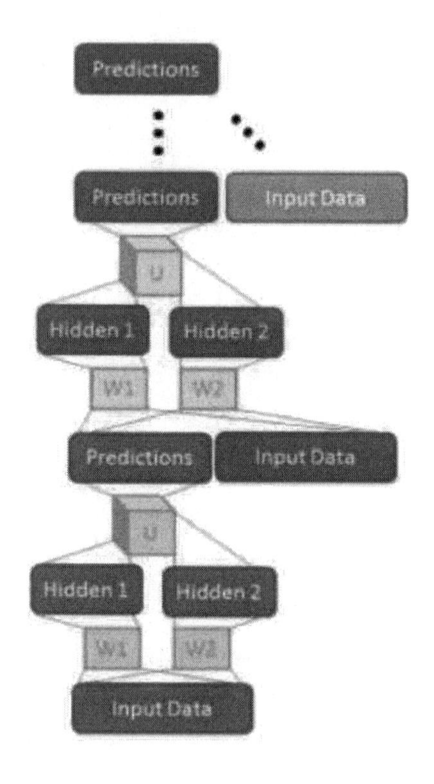

그림 6.3: 예측 벡터와 입력 벡터를
연결하여 TDSN 모듈을 스태킹함.
출처: Deep Learning: 방법과 응용,
2013

TDSN 모듈을 쌓아 딥 아키텍처를 구축하는 과정은 DSN과 유사합니다(그림 6.3). 숨겨진 레이어를 입력과 연결하는 노트 스태킹(Note Stacking)은 DSN에서는 적용하기 어렵지만, TDSN에서는 가능합니다. TDSN의 이러한 구조는 고차 숨겨진 특징 상호 작용을 가능하게 하며, DSN과 TDSN 사이의 볼록 최적화 기법을 공유합니다.

6.4 커널화된 딥 스태킹 네트워크

최근에 딥 스태킹 네트워크(Deep Stacking Networks, DSN)는 커널화된 변형으로 일반화되었으며, 이를 커널-DSN(Kernel-DSN, K-DSN)이라고 합니다. K-DSN의 목표는 학습해야 하는 자유 파라미터의 양을 늘리지 않으면서 각 DSN 모듈에서 숨겨진 유닛의 수를 증가시키는 것입니다. 커널 방법을 사용하면 이 목표를 쉽게 달성할 수 있으며, 이를 통해 K-DSN을 구현할 수 있습니다.

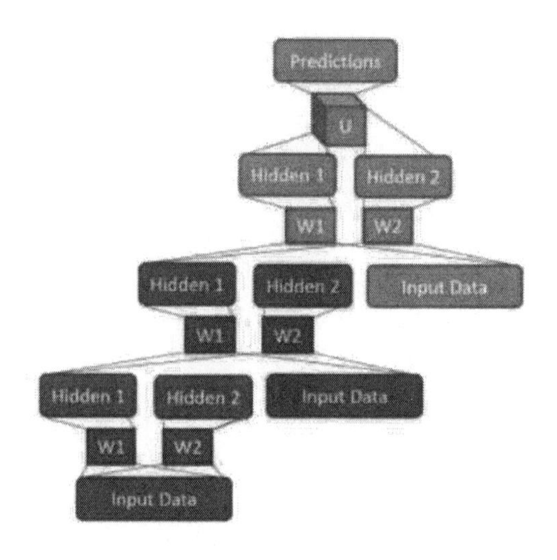

그림 6.4: 두 개의 히든 레이어 벡터를 입력 벡터와 연결하여 TDSN 모듈을 스태킹하는 모습.
출처: Deep Learning: 방법과 응용 데이터 수집 및 처리 방법과 응용 동유 2013

앞서 살펴본 것처럼, DSN 아키텍처에서 가중치 행렬 U의 최적화는 볼록 최적화 문제입니다. 이는 숨겨진 레이어의 출력이 각 모듈에서 제공되기 때문입니다. 그러나 가중치 행렬 W와 전체 네트워크의 최적화는 볼록 최적화를 통해 해결할 수 없는 문제입니다. 최근의 개발은 텐서 구조의 도입을 포함하며, 이는 대부분의 비볼록 학습 부하를 W에서 U의 볼록 최적화로 이동시켰습니다. K-DSN 확장에서는 W에 대한 비볼록 학습이 완전히 제거되었습니다.

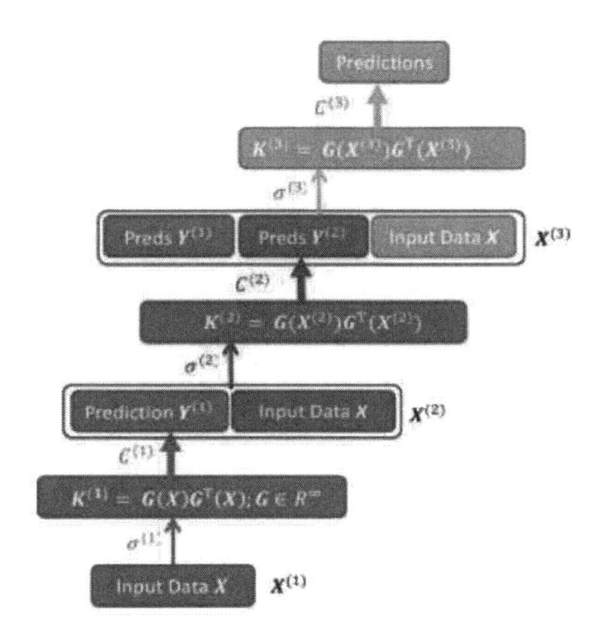

그림 6.5: 커널 파라미터가 서로 다른 가우시안 커널을 사용하는 세 개의 모듈이 있는 K-DSN의 아키텍처 예시.
출처: Deep Learning: 방법과 응용, 2013

K-DSN은 딥러닝의 장점과 커널 학습의 장점을 결합하여 주목할 만한 여러 특징을 가지고 있습니다. K-DSN의 학습은 비볼록 최적화 문제를 해결할 필요가 없으며, 분산 서버 네트워크에

서 병렬 컴퓨팅을 수행할 때 확장성이 뛰어납니다. K-DSN은 제한된 매개변수 그룹에 대한 튜닝이 필요하며, 사전 학습이 필요하지 않습니다. 연구 결과에 따르면, K-DSN은 정규화를 통해 더 많은 이점을 얻을 수 있습니다.

그러나 K-DSN의 확장성은 학습과 테스트에 사용되는 샘플의 수가 많아질수록 도전이 됩니다. 이 문제를 해결하기 위해 황과 동료들은 무작위 푸리에 기능을 활용하는 방법을 제안했습니다. 이 방법은 가우스 커널에 접근하는 강력한 이론적 특성을 가지고 있으며, 대규모 훈련 샘플로 K-DSN을 훈련하고 평가하는데 효율적입니다. 랜덤 푸리에 특성을 활용하면 커널 모듈을 효과적으로 스택하여 딥 아키텍처를 구축할 수 있습니다.

6.5 컨볼루션 네트워크를 이용한 필터 교체

최근 몇 년 동안 딥러닝 방법론을 사용하여 상당한 진전이 이루어졌지만, 이러한 진전의 대부분은 레이블이 지정된 수백만 개의 예제를 사용하여 학습된 지도 모델에서 이루어졌습니다. 데이터 라벨링에는 시간과 리소스가 많이 소모되며, 특히 비디오 데이터의 경우 각 프레임마다 다른 주석이 필요할 수 있어 이 문제가 더욱 심각해집니다. 바운딩 박스 주석을 포함한 연구에서는 대조군에 비해 정확도가 높아진 것으로 나타났습니다.

현재, 사진 분류를 위한 레이블이 지정된 데이터는 한 분야에서 다른 분야로 기술을 전수할 수 있을 만큼 충분합니다. 모델은 일반적으로 ImageNet에서 사전 학습된 후 특정 사용 목적에 맞게 미세 조정됩니다. 비디오 모델은 이미지 기반 모델만큼 발전하지 못했으며, 초기의 딥러닝 적용 시도는 수작업으로 설계된 시스템에 비해 약간의 이점만 보였습니다. 복잡한 딥러닝 모델을 처음부터 학습시키는 것은 종종 기대에 미치지 못하는 결과를 가져옵니다.

비디오 분류에 사전 학습이 점점 더 자주 사용되면서 상당한 개선이 이루어지고 있습니다. 가장 중요한 발전은 대규모 비디오의 가용성과 사전 훈련의 사용으로 인해 실현 가능해졌습니다. 지도 학습 기법은 데이터에 대한 갈망이 크며, 이를 완화하기 위해 차원 축소 및 가중치 감쇠를 포함한 여러 정규화 절차가 개발되었습니다. 비지도 학습은 입력만 있으면 학습할 수 있으며, 입력을 재구성할 수 있는 모델은 입력에 활용될 수 있는 정보가 포함되어 있다고 가정합니다.

비지도 학습 패러다임은 당면한 문제에 대한 가장 매력적인 해결책을 제공합니다. 비지도 사전 학습은 이전에도 사용되었지만, 최근에는 더 일반적으로 시작점으로 사용됩니다. 비지도 사전 학습에는 심층 신념 네트워크, 자동 인코더 및 그 컨볼루션 변형이 사용되었습니다. 전이 학습의 등장으로 비지도 특성이 추상적인 클래스를 판별하는 데 유리하다는 믿음이 완화되었습니다. 지도 컨볼루션 신경망에 대한 관심이 다시 높아졌고, 비지도 방식은 선호도가 떨어졌습니다. 이 장에서는 이미지 및 동영상 분류에 비지도 방식과 지도 방식을 결합하는 방법을 설명합니다.

비지도 사전 학습은 이전에 연구된 적이 있지만, 자기조직화 지도(SOM)으로 구현된 적은 없습니다. SOM은 딥러닝 커뮤니티에서 대부분 무시되고 있습니다. 이 연구에서는 비지도 학습을 거친 필터 뱅크를 사용하며, 대부분의 선행 기법은 비지도 사전 학습을 시작점으로 삼아 미세 조정을 진행합니다. SOM은 상대적으로 효율적인 방법이며, 비정형 데이터를 활용할 수 있는 새로운 학습 방법이 필요합니다. 비지도 패러다임에 더 중점을 두는 것이 유익할 수 있습니다.

6.6 컨볼루션 DBNS

복잡하고 고차원적인 청각적 형식으로 제공되는 자료를 인식하는 능력은 오늘날의 세계에서 상당한 어려움입니다. 청각 신호의 희소성 표현을 학습하면 포유류의 오디오 처리 초기 단계에서 뉴런이 사용하는 필터와 유사한 필터가 생성됩니다. 실제 소리나 음성을 분석하는 작업에 스파스 코딩 모델을 적용했을 때, 학습된 표현(기저 벡터)은 달팽이관 필터와 유사하게 나타났습니다. 청각 피질의 관련 연구를 통해 청각 데이터에 대한 효과적인 스파스 코딩 체계가 개발되었고, 오디오 분류 문제에 적용함으로써 이 접근법의 유용성이 입증되었습니다.

복잡하고 고급화되는 표현에 능숙해지는 과정은 어렵습니다. '딥러닝' 전략은 아직 청각 데이터 분석에 널리 적용되지 않았습니다. 라벨이 없는 청각 데이터(예: 음악 및 음성)에 컨볼루션 심층 신념 네트워크를 적용하여 다양한 오디오 분류 작업에서 학습된 특징 표현을 평가합니다. 발견된 특성이 전화 및 음소와 일치한다는 것을 입증하기 위해 음성 녹음에서 가져온 몇 가지 사례를 활용합니다. 다양한 오디오 분류 작업에서 기준이 되는 특징 표현의 성능은 스펙트로그램과 MFCC보다 우수합니다. 우리의 접근 방식은 화자 인식 과제에서 상당히 뛰어난 성능을 발휘합니다. 우리의 특징을 MFCC의 특징과 결합하면 전화 분류 과제에서 달성할 수 있는 정확도 수준을 높일 수 있습니다. 2계층 특징을 활용하면 1계층 특징을 활용하는 것보다 더 높은 정확도를 얻을 수 있음을 보여줍니다. 음악 분류 작업에 우리의 특징을 활용했을 때 과거에 생성된 기준선 특징보다 더 나은 성능을 발휘합니다. 레이블이 지정된 샘플의 수가 제한되어 있음에도 불구하고 학습된 특징들은 테스트 결과 다른 기준 특징들보다 훨씬 더 나은 성능을 보였습니다.

6.7 비지도 특징 학습

라벨이 없는 대규모 음성 데이터 세트를 사용하여 1계층 및 2계층 컨볼루션 심층 신념 네트워크(CDBN) 표현을 모두 훈련했습니다. 먼저 TIMIT 훈련 데이터에 포함된 모든 발화에 대한 스펙트로그램을 생성했습니다. 스펙트로그램의 창 크기는 20밀리초, 10밀리초의 중첩을 포함했습니다. 스펙트로그램의 차원을 줄이기 위해 PCA 화이트닝(80개 구성 요소 포함)을 사용했습니다.

필터 길이(nW)를 6으로 설정하고 최대 풀링 비율(로컬 이웃 크기)을 사용하여 300개의 1차 레이어 베이스를 훈련했습니다. 이어서 필터 길이와 최대 풀링 비율을 사용하여 최대로 풀링된 1차 레이어 활성화를 사용하여 추가로 300개의 2차 레이어 베이스를 학습했습니다. 첫 번째 레이어에서는 0.05의 목표 희소도를, 두 번째 레이어에서는 0.02의 목표 희소도를 설정했습니다.

6.8 시각화

이제 시각화를 통해 네트워크가 학습하는 내용을 보여드리겠습니다. 각 1차 계층 베이스에 PCA-화이트닝의 역을 곱하면 1차 계층 베이스를 시각화할 수 있습니다(그림 6.6). 각 2계층 베이스를 1계층 베이스의 가중 선형 조합으로 생각하면 이해가 더 쉬워집니다.

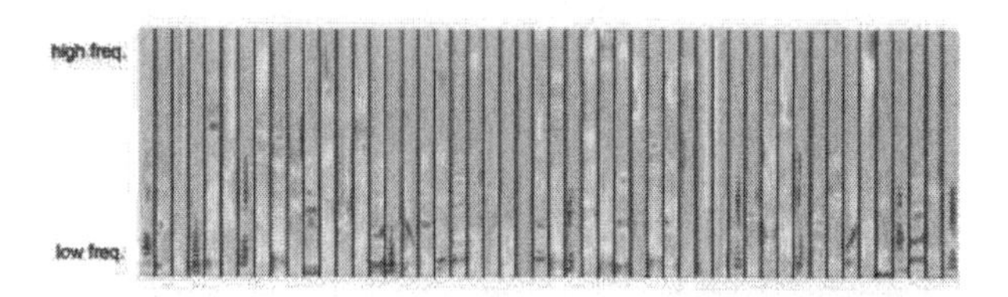

그림 6.6: TIMIT 데이터를 사용하여 훈련된 무작위로 선택된 1계층 CDBN 기저의 시각화. 각 열은 스펙트로그램 공간에서 1계층 기준의 "시간적 수신 필드"를 나타냄. 주파수 채널은 가장 낮은 주파수(아래쪽)에서 가장 높은 주파수(위쪽)로 정렬됨. 출처: 희소 계층적 표현을 통한 비지도 특징 학습, 2010

6.9 음소와 CDBN 특징

그림 6.7에서는 각 음소의 시각화를 해당 음소에 의해 가장 활성화된 베이스와 비교하여 베이스가 음소와 어떻게 연결되는지 보여줍니다. 각 음소에 해당하는 사운드 클립의 스펙트로그램 5개(각 음소 그룹에서 상위 5개 열)와 평균이 가장 큰 5개의 첫 번째 레이어 베이스를 제시합니다.

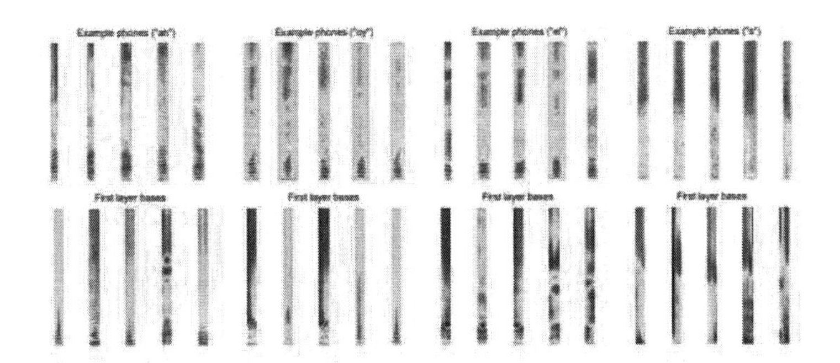

그림 6.7: 네 가지 다른 음소와 그에 해당하는 첫 번째 레이어 CDBN 베이스의 시각화. 각 음소에 대해: (위) 무작위로 선택된 5개 음소의 스펙트로그램, (아래) 주어진 음소에 대해 평균 활성화가 가장 높은 5개 1계층. 출처: 희소 계층적 표현을 통한 비지도 특징 학습, 2010

6.10 화자 성별 정보와 CDBN 특징

성별 분류 문제와 관련된 2계층 CDBN 특징 표현에 대한 연구는 그림 6.8에 나와 있습니다. 네트워크는 레이블이 지정되지 않은 데이터를 사용하여 훈련되었기 때문에 훈련 시 화자의 성별에 관한 정보가 제공되지 않았습니다.

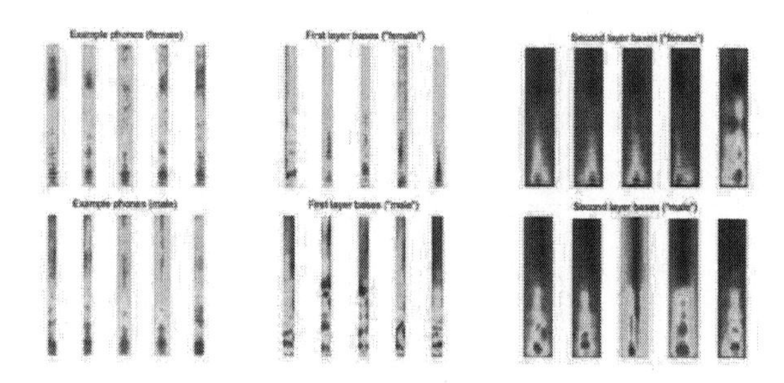

그림 6.8: (왼쪽) 여성(위)/남성(아래) 화자의 "애" 음소 5개 스펙트로그램 샘플. (가운데) 여성/남성 화자에서 가장 차별적으로 활성화되는 5개의 첫 번째 레이어 기반 시각화. (오른쪽) 여성/남성 화자에게 가장 차별적으로 활성화되는 5개의 두 번째 레이어 기반 시각화.
출처: 희소 계층적 표현을 통한 비지도 학습, 2010

TIMIT 데이터셋에서 무작위로 선택한 여성(왼쪽 위 다섯 열)과 남성(왼쪽 아래 다섯 열) 'ae' 음소 발음의 스펙트로그램을 보여줌으로써 CDBN에서 발견한 특징과 비교해보았습니다. 여성 발음의 스펙트로그램은 흐릿한 패턴을 가진 남성 발음의 스펙트로그램보다 저주파수에서 더 세밀하게 구분되는 수평 밴드 패턴이 특징입니다. 이를 통해 여성 발음을 질적으로 구분할 수 있습니다. 남성 발음과 구별됩니다. 모음 발음 패턴의 이러한 성별 차이는 TIMIT 데이터 전체에 걸쳐 두드러집니다. 또한 남성 또는 여성 발화에 의해 활성화될 때 성별 편향이 나타날 가능성이 더 높은 베이스를 강조 표시합니다. 여성 발음의 스펙트로그램에서 나타나는 가로 띠 패턴은 여성 발화에서 더 활성화되는 베이스에 의해 인코딩됩니다. 반면에 남성 편향적인 베이스는 더 흐릿한 패턴을 가지며, 이는 다시 한번 관련된 스펙트로그램과 시각적으로 일치합니다.

6.11 화자 식별

학습된 컨볼루션 심층 신념 네트워크(CDBN) 표현이 화자 식별 작업에 얼마나 효과적인지 평가하기 위해 실험을 진행했습니다. TIMIT 코퍼스의 하위 집합에서 1680개의 발화를 포함하는 화자를 선택했습니다. 각 화자에 대해 총 10개의 발화(문장)가 있었습니다. 이 데이터 집합을 사용하여 168가지 화자 식별 작업을 수행했습니다. 훈련 발화와 테스트 발화는 무작위로 선택되었으며, 결과는 여러 무작위 실험에서 얻은 평균입니다. 8개의 훈련 발화와 2개의 테스트 발화를 사용하여 실험을 진행했습니다.

화자별 발화에 대해서는 교차 검증을 사용하여 분류를 위한 하이퍼파라미터를 선택했습니다. TIMIT 코퍼스의 각 발화에 대해 스펙트로그램을 생성하여 "RAW" 특성으로 사용했습니다. 이 스펙트로그램은 1계층과 2계층 CDBN 특성 계산에 사용되었습니다. 또한, 음성 인식의 표준 특징인 MFCC 특징도 계산했습니다. 이를 통해 각 발화에 대한 스펙트로그램, MFCC, CDBN 표현을 얻었습니다.

테스트 중에는 각 채널의 평균, 최대값, 표준 편차 등의 기본 요약 통계를 사용했습니다. SVM, GDA, KNN과 같은 표준 지도 분류기를 사용하여 특징 평가를 수행했습니다. 교차 검증을 사용하여 적절한 요약 통계와 하이퍼파라미터를 선택했습니다. 다양한 훈련 이벤트를 사용한 10개의 실험에서 얻은 정확도의 중앙값은 각 특징 표현의 일반적인 분류 정밀도 수준을 보여줍니다. CDBN 레이어 1 특징을 "CDBN L.1", 레이어 2 특징을 "CDBN L.2", 레이어 1과 2 특징을 합친 것을 "CDBN L.1+L.2"로 지칭합니다. 연구 결과에 따르면, CDBN 표현은 기준 특징(RAW 및 MFCC)보다 우수한 성능을 보였습니다.

MFCC와 CDBN 특징의 비교와 대조는 첨부된 그림에서 자세히 설명됩니다. 가장 성능이 뛰어난 MFCC의 표준 구현을 사용하여 CDBN과 공평하게 비교했습니다. 추가적인 전처리나 후처리 없이, 레이블이 지정된 샘플이 제한된 설정에서 CDBN 특징이 MFCC 특징보다 우수한 성능을 보였습니다. CDBN 특징이 시장에 출시된 가장 혁신적인 기기의 기능과 경쟁할 수 있는지 여부를 확인하기 위해 추가 테스트를 실시했습니다.

각 특징의 모든 표현에 대해 최고 수준의 성능을 달성한 분류기를 사용했습니다. 예를 들어, MFCC와 CDBN 특징에 대해 가우시안 혼합과 SVM을 비교했습니다. 가우시안 혼합에서는 MFCC 방법이 우수한 성능을 보였지만, SVM 알고리즘은 CDBN 특징에서 가장 높은 수준의 성능을 달성했습니다. 각 통계에 대해 가장 인상적인 결과를 제시하고 그에 해당하는 전략에 대해 논의했습니다.

MFCC의 특성을 각 음절마다 계산했습니다. 가우시안 혼합 모델(GMM)을 훈련하는 데 MFCC 프레임을 각 화자에 대한 입력 샘플로 사용했습니다. 테스트 발화에 대한 예측을 할 때, 테스트 로그-가능성이 가장 큰 GMM 모델을 선택했습니다. 서포트 벡터 머신(SVM) 기반 앙상블이 분석에 사용되었으며, 모든 단일 프레임 CDBN 특성은 자체 샘플처럼 처리되었습니다. 멀티 클래스 선형 SVM이 각 화자에 대해 학습되었습니다. 각 화자에 대한 SVM 예측 점수를 합산하여 최종 예측을 수행했습니다. 가장 높은 점수를 받은 화자를 예측으로 선택했습니다.

결과적으로, 사용 가능한 훈련 인스턴스가 적은 경우에도 CDBN 특성이 MFCC 특성보다 지속적으로 더 효과적으로 작동한다는 사실이 입증되었습니다. 분류기의 출력을 선형 조합하여 두 방법을 통합했습니다. 교차 검증을 사용하여 선형 조합의 상수를 결정했습니다. 생성된 결합 분류기는 8개의 훈련 발화가 주어졌을 때 100%의 정확도를 달성했습니다.

7장. 음성 및 오디오 처리 분야의 선별된 애플리케이션

7.1 소개

딥 러닝(Deep Learning)은 비즈니스 환경에서 처음으로 음성 인식 분야에 적용되었습니다. 이는 Microsoft Research의 학술 기관과 민간 부문 간의 파트너십에서 비롯되었습니다. GMM-HMM(Gaussian Mixture Model-Hidden Markov Model) 기술은 오랫동안 음성 인식에서 선호되는 방식이었으나, 숨겨진 역학이 깊은 생성 모델은 그 경쟁력이 입증되지 않았습니다. 이는 컨볼루션 및 반복 구조를 기반으로 하는 하이브리드 DNN(Deep Neural Network) 아키텍처의 가능성을 강조합니다. 이 연구는 원시 음성 파형에 가까운 스펙트로그램의 중요성을 보여주었습니다. GMM-HMM 음성 단위(세논)에 필적하는 방식으로 배열된 DNN 출력 레이어 덕분에 방대한 어휘를 성공적으로 음성 인식할 수 있었습니다.

음성 인식 연구원들은 문맥 의존적 전화 모델링 접근법을 사용하고자 했으며, 이미 효과적인 디코더 소프트웨어의 아키텍처를

방해하지 않는 방향으로 연구를 진행했습니다. DNN의 강력한 모델링 능력은 시스템 복잡성을 줄이는 데 기여했으며, 세논이 DNN의 출력으로 사용되었습니다. 이로 인해 딥러닝이 음성 인식 분야에 빠르게 도입되었으며, 오류율이 크게 감소했습니다. ICASSP-2013 컨퍼런스에서는 원시 음성 스펙트럼 특성을 사용하는 DNN의 성공에 대한 실험적 증거가 제공되었습니다.

7.2 음성의 원시적 스펙트럼 특징으로 돌아가기

딥 러닝의 주요 목표는 원시 입력 데이터에서 강력한 특징을 자동으로 식별하는 것입니다. 이는 음성 특징을 학습하고 식별하기 위해 기본적인 스펙트럼 또는 파형 속성을 활용하는 데 집중합니다. GMM 기반 HMM 시스템의 정확도는 지난 30년 이상 동안 크게 향상되었지만, 원시 음성 데이터에서 상당한 정보 손실이 발생했습니다. 비적응 코사인 변환은 멜 주파수 두정위 계수(MFCC)의 고유한 특성을 제공합니다. GMM을 사용하는 것이 중요한데, 이는 코사인 변환이 기본적으로 특징 요소의 상관관계를 제거하기 때문입니다. 하지만 DNN, DBN, 딥 오토인코더와 같은 딥러닝 모델로 대체되면서 이러한 상관관계 제거가 무의미해졌습니다.

초기 연구에서 자동 인코더를 사용한 병목 음성 특징의 성공적인 비지도 코딩에서 MFCC보다 스펙트로그램의 장점이 입증되었습니다. 원시 음성 특징은 로그 스펙트럼과 멜-워프 필터 뱅크를 거치는 여러 단계를 포함합니다. 딥러닝은 사용자가 특징 표현과 분류기를 수동으로 생성할 필요가 없습니다. GMM-HMM 기반 시스템에 대한 초기 연구에서 음성 인식을 위한 분류기와 특징 변환을 동시에 학습하는 개념이 조사되었습니다. Mohamed 등은 대규모 DNN을 사용할 때 MFCC 기능에서 멜 스케일 필터 뱅크 기능으로 전환하면 음성 인식 실패 횟수가 크게 줄어든다는 사실을 입증했습니다.

컨볼루션 및 풀링 알고리즘은 주파수 영역에서 명확하게 표현되는 음성 변동성을 특성화하고 제어하는 데 사용됩니다. "원시" 스펙트럼 특성은 MFCC보다 더 많은 정보를 유지합니다. 포먼트의 언더슛과 오버슛, 성대 길이의 차이, 말하기 스타일의 차이 등이 그 예입니다. 음성 인식에 음성의 원시 속성을 사용하는 것은 딥러닝의 극단적인 버전입니다. Jayatilake와 Hinton은 컨볼루션 구조를 원시 입력 특성으로 사용하는 RBM 분류기에 음성 음파를 입력했습니다. 히든 레이어에서 정류된 선형 유닛을 사용하면 파형 신호의 진폭 변동을 자동으로 정규화할 수 있습니다.

Sainath 등은 원시 스펙트럼의 정규화가 MFCC의 정규화보다 더 많은 주의가 필요하다는 것을 증명했습니다. 음성 파형의 정규화는 더욱 복잡하며, 추가 작업이 필요합니다. 그림 7.1은 자동으로 학습된 특징 생성기와 분류기의 전체적인 구조를 보여줍니다.

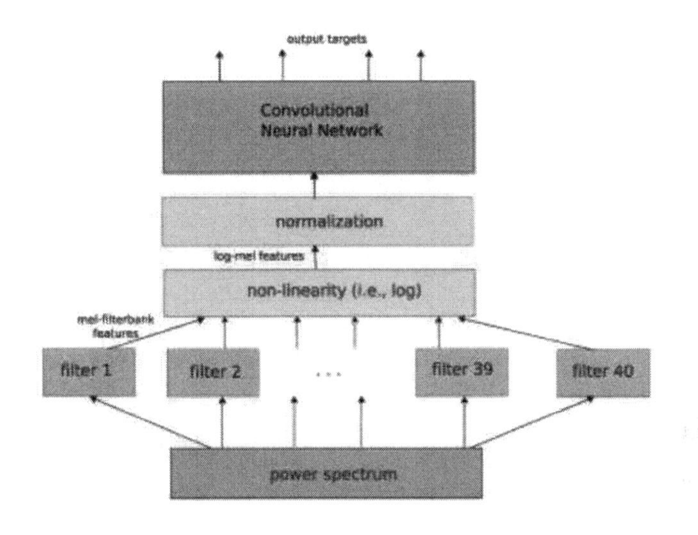

그림 7.1: 필터 매개변수와 나머지 딥 네트워크의 공동 학습
출처: 딥러닝의 방법과 응용, 2013

이 두 가지 측면은 동시에 각각의 훈련을 받았습니다. 원시 필터 뱅크 특성부터 시작하여 레이어별로 복구된 특성을 심층 분석하여 DNN의 고유한 특성을 발굴했습니다. 음성 인식의 정확도 향상은 음성 신호의 변동 요인에 탄력적으로 대응할 수 있는 차별적인 내부 표현을 생성하는 DNN의 능력 때문일 수 있습니다.

7.3 DNN-HMM 아키텍처와 DNN 파생 기능의 사용 비교

음성 인식에서 DNN-HMM(Deep Neural Network-Hidden Markov Model) 아키텍처는 특징 추출에 DNN을 사용하고, 이를 시퀀스 분류기에 공급하는 방식으로 적용됩니다. 중요한 점은 DNN-HMM 아키텍처를 사용하는 두 가지 방법이 있다는 것입니다. 첫 번째는 DNN의 출력을 사용하여 HMM의 방출 확률을 직접 추정하는 것으로, 이는 ANN/HMM 하이브리드 시스템으로 간주됩니다. DNN의 파라미터 학습에는 비지도 사전 학습과 지도 미세 조정을 혼합하는 기법이 사용됩니다.

7.4 DNN-HMM 아키텍처

토론토 대학교와 Microsoft Research의 연구원들은 NIPS에서 초기 DNN-HMM을 발표했습니다. 이 연구에서는 GMM-HMM 시스템의 가우시안 혼합 모델 대신 5계층 DNN(이 장에서는 DBN으로 언급됨)을 사용하여 모노폰 상태를 모델링했습니다. 이 접근 방식은 트라이폰 GMM-HMM 시스템보다 우수한 전화 인식 정확도를 달성했습니다. 또한, TIMIT 과제를 통한 테스트에서 DNN은 생성적 숨겨진 궤적 모델(HTM)을 기반으로 하는 당시 최고 성능의 단일 시스템보다 약간 더 나은 결과를 보였습니다. DNN과 HTM이 생성하는 오류 패턴의 분석은 각 방법의 근본적인 역량이 다르다는 것을 나타냈습니다.

MSR과 토론토 대학의 연구원들은 DNN-HMM 시스템을 전화 인식을 넘어 광범위한 어휘 음성 인식으로 확장했습니다. Bing 모바일 음성 검색 데이터 세트를 대상으로 한 실험에서 문맥 의존형 DNN-HMM 시스템은 최첨단 GMM-HMM 시스템보다 훨씬 뛰어난 성능을 보였습니다. 이 시스템은 광범위한 입력 데이터 창을 활용하고, 묶인 트라이폰을 모델링 단위로 사용했습니다. 실험 결과, 5계층 DNN-HMM의 디코딩 시간은 가장 정교한 트라이폰 GMM-HMM과 비슷했습니다.

스위치보드와 방송 뉴스 데이터베이스, 구글의 음성 검색과 유튜브에서 성공을 거둔 이 기술은 대규모 어휘 음성 인식 애플리케이션에 적용되었습니다. 컨텍스트 의존적 DNN-HMM(CD-DNN-HMM)은 스위치보드 벤치마크에서 최첨단 GMM-HMM에 비해 오류를 1/3로 줄였습니다.

7.5 별도의 인식기에서 DNN 파생 기능 사용

앞서 언급한 음성 인식을 위한 DNN-HMM 아키텍처는 DNN-HMM 아키텍처는 GMM-HMM 시스템의 많은 효과적인 접근 방식이 새로운 시스템으로 즉시 이전되지 않을 수 있다는 결함이 있습니다. 이는 차별적 훈련, 비지도 화자 적응, 노이즈 복원력, 대량의 학습 데이터를 위한 확장 가능한 배치 훈련 도구 등을 포함합니다. 이 문제에 대한 해결책으로 '탠덤' 기법이 제안되었습니다. 이 방법은 신경망이 생성한 전화 클래스에 대한 사후 확률을 GMM-HMM 시스템에 공급하는 것으로, 음향 특성과 함께 추가 증강 입력 정보를 제공합니다.

탠덤 방식은 DNN의 출력을 해당 음성의 특징으로 사용하며, 환경이 깨끗할 때 단일 숨겨진 계층을 가진 뉴럴 네트워크보다 더 나은 성능을 보입니다. 노이즈가 추가되면 이득은 감소합니다. MFCC와 함께 DNN이 계산한 후방을 사용하면 탠덤 아키텍처의 성능이 향상됩니다. Tuske 등은 간단한 DNN-HMM 전략과 탠덤 방법을 비교했습니다. '병목' 레이어를 활용하여 네트워크의 용량을 제한하고, 초기 음향 특징과 함께 GMM-HMM 시스템에 입력합니다. DNN에서 파생된 병목 특성은 기존의 음향 특징에 보완적인 정보를 포착합니다.

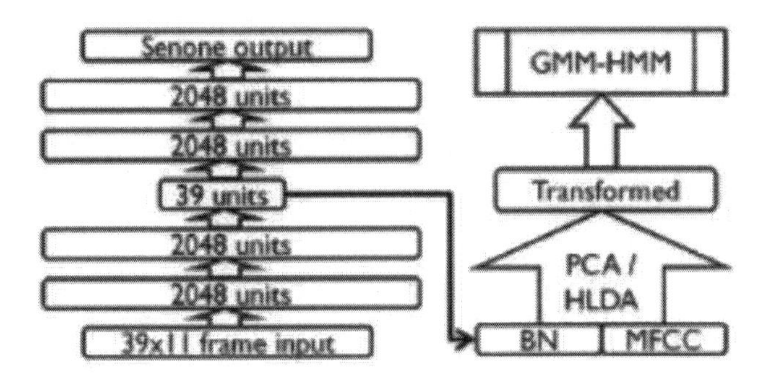

그림 7.2: GMM-HMM 음성 인식기에서 DNN에서 추출한 병목 현상(BN) 특징의 사용 예시. 출처: 딥러닝의 방법과 응용, 2013

이 그림은 GMM-HMM 인식기에서 DNN에서 추출한 병목 현상 특징을 사용하는 방법을 보여줍니다. 고차원 DNN 특징은 인식기에 입력하기 전에 차원 축소 과정을 거칩니다. 순환 신경망(RNN)은 DNN에서 파생된 고차원 특성을 입력으로 사용하는 '백엔드' 인식기로 활용됩니다. RNN 시퀀스 분류기는 DNN의 맨 위에 있는 숨겨진 계층을 특징으로 사용하는 것이 다른 숨겨진 계층을 사용하는 것보다 우수하다는 것을 보여줍니다.

7.6 딥러닝을 통한 노이즈 강건성

딥러닝의 등장 이전부터, 연구자들은 시끄러운 환경에서 음성 인식 시스템의 성능을 향상시키는 방법에 주목해왔습니다. 이는 음성 인식 기술의 중요한 취약점 중 하나로, 특히 표준 GMM-HMM 기반 음향 모델이 노이즈에 의해 왜곡된 훈련 데이터를 정확하게 모델링하지 못하는 경우에 두드러집니다.

지난 수십 년간 다양한 노이즈 방지 기법이 개발되었으며, 이러한 전략은 크게 특징 영역과 모델 영역의 변형으로 나눌 수 있습니다. 이러한 접근 방식은 특징 증강 또는 모델 적응과 같은 방법을 사용하여 테스트 단계에서 생성된 음향 모델을 사용합니다. Li의 연구에 따르면, 이러한 전략들은 새로운 딥러닝 모델에는 큰 영향을 미치지 않는 것으로 나타났습니다.

그러나 DNN 시스템은 특징 영역에 특화된 방법을 적용하여 성능을 향상시킬 수 있습니다. Li는 DNN의 입력 특징에 대한 특징 강화 전략을 활용하여 노이즈에 강한 음성 인식을 위한 DNN의 사용을 분석했습니다. DNN-HMM 인식기는 훈련 데이터와 테스트 데이터 모두에 동일한 처리 방식을 적용하여 증강 기법의 결과로 발생하는 오류나 아티팩트를 학습합니다. 또한, 심층 신경망(DNN) 훈련을 위한 노이즈 인식 훈련 패러다임의 효과도 검토되었습니다.

최근에는 DNN 음성 인식기에 스플라이스 기능이 추가되었습니다. 이 기술에서는 깨끗한 데이터를 사용하여 DNN의 출력 계층을 계산했습니다. 또한, 딥 리커런트 자동 인코더 신경망을 활용하여 입력 데이터에 존재하는 배경 노이즈를 필터링하는 방법도 제안되었습니다. SPLICE와 유사한 방법을 사용하여 노이즈가 있는 입력에 대해 깨끗한 특징을 예측하기 위한 모델을 훈련시켰습니다.

대용량 오디오 데이터를 활용하여 심층 신경망(DNN)에 후방 특징을 생성하도록 훈련시키는 방법도 연구되었습니다. 이러한 접근 방식은 배경 소음이 있는 상황에서도 음성을 식별할 수 있도록 합니다. 계층 히든 RBM의 성능도 소음에 강한 음성 인식에 활용할 수 있는 가능성을 탐구하는 데 사용되었습니다.

7.7 DN의 출력 표현

음성 인식 및 기타 정보 처리 애플리케이션에서 딥러닝의 초기 시도는 주로 입력 데이터의 음향 특성에 기반한 표현을 학습하는 데 초점을 맞췄습니다. 최근에는 출력 표현 학습에 대한 관심이 증가하고 있으며, 특히 언어 구조와 연결된 출력 표현의 구성에 중점을 두고 있습니다.

현재 대부분의 DNN 시스템은 문맥 의존적 음성 상태를 일치시키기 위해 고차원 출력 표현을 사용합니다. 이는 출력 레이어를 평가하는 데 상당한 계산 시간을 요구할 수 있습니다. 따라서, 고차원 출력 계층으로 DNN을 훈련한 후에는 저순위 근사화와 같은 기술을 활용하여 디코딩 프로세스를 가속화합니다. 이를 위해 특이값 분해(SVD)에 기반한 차원 축소 접근법을 사용하여 출력 레이어 행렬을 단순화합니다.

음성 인식에 활용되는 언어 표현을 구성하는 데에도 관련된 작업이 있습니다. 예를 들어, 음성의 기호적 또는 음운적 구성 요소를 체계적으로 구성하는 것은 음성 인식을 위한 출력 표현을 개발하는 데에도 도움이 될 수 있습니다. 이러한 접근 방식은 음성 인식 시스템의 성능을 향상시킬 수 있는 유망한 방향을 제시합니다.

이러한 연구는 음성 인식의 정확도를 높이는 데 중요한 기여를 하고 있으며, 딥러닝 기술의 발전은 계속해서 이 분야에 새로운 가능성을 열어주고 있습니다.

7.8 DNN 기반 음성 인식기의 적용

DNN-HMM은 1990년대에 개발된 인공 신경망(ANN)과 HMM을 사용한 "하이브리드" 시스템의 진화된 형태입니다. 이 프레임워크는 네트워크의 입력 또는 출력 계층에 선형 변환을 적용하는 다양한 접근 방식을 통해 적응되었습니다. DNN-HMM은 이전의 제한적이고 얕은 신경망 시스템과 달리 더 큰 출력 계층과 더 넓고 깊은 숨겨진 계층을 특징으로 합니다. 이러한 구조는 주변 환경에 따라 달라지는 전화기와 상태를 모델링하는 데 필요했습니다.

DNN-HMM의 수정은 특히 제한된 양의 훈련 데이터를 다룰 때 어려울 수 있습니다. 이러한 문제를 극복하기 위해, 최근 연구에서는 DNN의 가중치를 다양한 방식으로 변경하는 실험을 수행했습니다. 이 연구들은 적응 전 모델에서 계산된 분포를 수정된 모델에서 예상되는 분포에 가깝게 가져오는 정규화된 접근 방식을 사용했습니다. 적응 기준은 쿨백-라이블러 발산(KLD) 정규화를 통합하여 확장되었으며, 이는 기존의 역전파 접근 방식에서 목표 분포를 변경하는 것과 유사합니다.

선형 보간은 새로운 목표 분포를 생성하는 데 사용되며, 이는 적응 전 모델과 적응 데이터의 기준 진실 사이의 정렬을 통해 이루어집니다. 이 방법은 과훈련을 방지하고, 모델 파라미터에 제한을 두는 대신 결과의 가능성만 조정합니다. 이러한 방법은 DNN의 숨겨진 활성화 함수의 일부만 수정하므로 기존 적응 전략의 기본적인 제한을 제거합니다.

DNN 음향 모델은 다양한 입력 특성에 맞게 조정되며, 이는 지도 및 비지도 연구를 통해 탐구되었습니다. I-벡터(화자 신원 벡터)와 fMLLR(특징 영역 최대 가능성 선형 회귀)는 DNN에 사용되는 입력 및 출력 벡터로, 화자 식별에 필요한 정보를 낮은 차원의 특징 벡터에 캡슐화합니다. 이러한 기능의 조합은 멀티스케일

CNN-DNN의 설계와 잘 작동합니다.

7.9 더 나은 아키텍처와 비선형 유닛

DNN-HMM 하이브리드 시스템의 성공 이후, 음성 인식을 위한 다양한 새로운 아키텍처와 비선형 유닛이 개발되고 연구되었습니다. 이러한 연구는 DNN의 레이어 중 하나 이상을 이중 투영 레이어와 텐서 레이어로 교환하여 기능을 확장한 텐서 버전의 DNN을 포함합니다. 이중 투영 레이어는 입력 벡터의 비선형 투영을 수행하고, 이 투영은 텐서 레이어에서 상호 작용합니다.

이러한 구조는 분산 센서 네트워크(DSN)와 유사한 구조를 활용할 수 있는 다양한 애플리케이션에 적용될 수 있습니다. 예를 들어, 시간적 변동성을 처리하기 위해 숨겨진 마르코프 모델(HMM)을 사용하는 경우, 주파수 차원의 가중치 공유가 시간 영역의 가중치 공유보다 더 효과적일 수 있습니다.

최근 연구에 따르면, 컨볼루션 신경망(CNN)은 다양한 대규모 음성 인식 문제를 해결하는 데 효과적입니다. Sainath와 동료들은 다양한 심층 CNN을 조사하여, 여러 가지 다양한 접근 방식을 사용하여 상당한 양의 추가 개발을 달성했습니다. 이러한 모델은 자연어의 전화 번호 순차적 라벨링 문제와 음성 신뢰도 보정 문제를 해결하는 데에도 유용합니다.

이러한 연구는 음성 인식을 개선하기 위한 새로운 딥 모델의 개발과 관련된 과학 문헌에 중요한 기여를 하고 있으며, DNN, CNN, DSN 및 이들의 텐서 버전 외에도 다양한 딥 모델이 계속해서 탐구되고 있습니다.

현재까지 개발된 기술들을 통해서 딥-GMM 시스템의 성능을 개선할 수 있게 되었습니다. 수년 전에 완료된 GMM 적응 및 판별 학습에 대한 연구는 여전히 가치가 있을 수 있으며, 이는 GMM 영역에 머무르는 것의 많은 장점 중 하나입니다. 다른 장점도 많이 있습니다. RNN, 스택 신경망, 그리고 심층 신경망은 가장 복잡한 신경망 토폴로지 중 하나로 간주됩니다.

RNN은 초기에는 음성 인식 분야에서 일정한 성과를 얻었지만, 훈련 기술의 복잡성으로 인해 이러한 성과를 다양한 음성 인식 애플리케이션으로 확장하기가 어려웠습니다. 그럼에도 불구하고

RNN은 초기에 우수한 성능을 보여주었습니다.

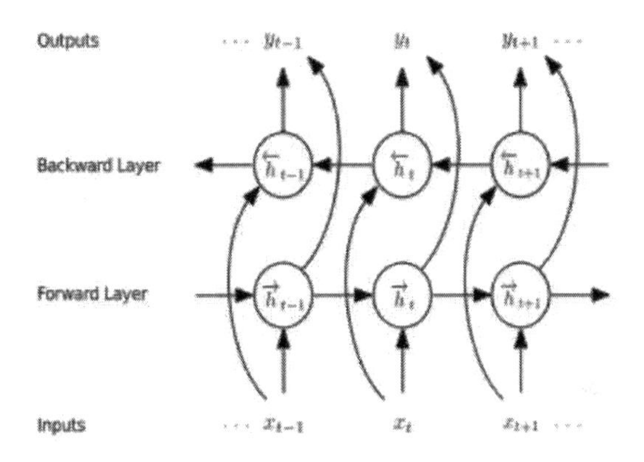

$$\overrightarrow{h}_t = \mathcal{H}\left(W_{x\overrightarrow{h}}x_t + W_{\overrightarrow{h}\overrightarrow{h}}\overrightarrow{h}_{t-1} + b_{\overrightarrow{h}}\right)$$
$$\overleftarrow{h}_t = \mathcal{H}\left(W_{x\overleftarrow{h}}x_t + W_{\overleftarrow{h}\overleftarrow{h}}\overleftarrow{h}_{t+1} + b_{\overleftarrow{h}}\right)$$
$$y_t = W_{\overrightarrow{h}y}\overrightarrow{h}_t + W_{\overleftarrow{h}y}\overleftarrow{h}_t + b_y$$

그림 7.3: 도표와 수학적 설명이 모두 포함된 양방향 RNN의 정보 흐름. W는 가중치 행렬로, 그림에는 표시되어 있지 않지만 다이어그램에서 쉽게 유추할 수 있음. 출처: 딥러닝 방법과 응용, 2013

이후 RNN의 학습 기술은 큰 발전을 이루어, 특히 양방향 LSTM(장단기 메모리)을 사용하는 최신 RNN 구현은 향상된 성능을 보여주고 있습니다(그림 7.3). 양방향 LSTM은 양방향으로 정보를 수집할 수 있어서 이러한 개선이 가능합니다. 양방향

RNN과 LSTM 유닛의 정보 흐름에 관한 그림을 보면 데이터의 양방향 흐름이 이해하기 쉽게 표현되어 있습니다.

딥-GMM 시스템과 DNN 간의 유사성을 강화하기 위해 이러한 발전된 RNN 구현을 활용할 수 있습니다. 그림 7.3과 7.4에서는 양방향 RNN과 LSTM의 정보 흐름을 시각적으로 설명하고 있으며, 이것은 신경망의 동작을 이해하는 데 도움이 됩니다.

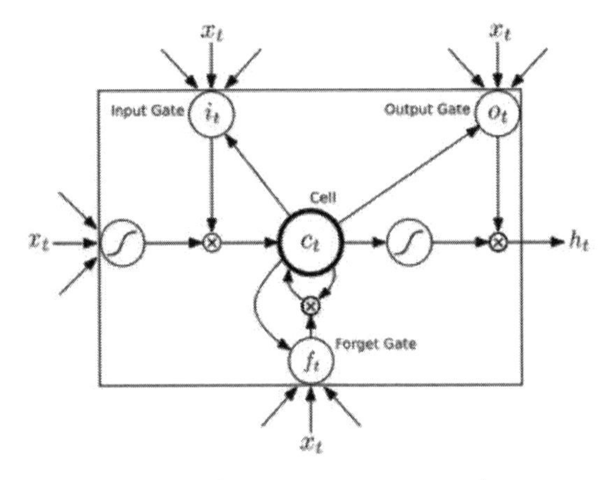

$$
\begin{aligned}
i_t &= \sigma\left(W_{xi}x_t + W_{hi}h_{t-1} + W_{ci}c_{t-1} + b_i\right) \\
f_t &= \sigma\left(W_{xf}x_t + W_{hf}h_{t-1} + W_{cf}c_{t-1} + b_f\right) \\
c_t &= f_t c_{t-1} + i_t \tanh\left(W_{xc}x_t + W_{hc}h_{t-1} + b_c\right) \\
o_t &= \sigma\left(W_{xo}x_t + W_{ho}h_{t-1} + W_{co}c_t + b_o\right) \\
h_t &= o_t \tanh(c_t)
\end{aligned}
$$

그림 7.4: 도표와 수학적 설명이 모두
포함된 RNN의 LSTM 유닛에서의 정보 흐름.
W는 가중치 행렬임.
출처: 딥러닝 방법과 응용, 2013

또한, 최근에는 음성 인식 분야에서 다양한 딥러닝 모델과 아키텍처가 개발되었습니다. DNN, CNN, DSN 등 다양한 신경망 모델이 사용되며, 이러한 모델들은 음성 인식 성능을 향상시키기 위해 연구되고 있습니다. 특히 CRF를 활용한 심층 구조와 같은 모델은 음성 인식 분야에서 유용하게 활용되고 있습니다.

딥-GMM 시스템의 성능을 개선하고 음성 인식 기술을 발전시키기 위해 다양한 모델과 기술을 조합하여 사용하는 것이 중요합니다. 이러한 연구와 개발 노력은 음성 인식 분야의 미래를 밝게 만들 것입니다.

7.10 더 나은 최적화 및 정규화

딥 네트워크가 학습되는 동안 최적화 기준과 함께 과적합(Overfitting)을 방지하는 데 도움이 되는 정규화(Regularization) 절차는 최근 음성 인식을 위한 음향 모델에 딥 러닝(Deep Learning)을 적용하는 데 큰 발전을 이룬 또 다른 영역입니다. 이는 모델이 수신하는 데이터에 지나치게 맞춰지는 것을 방지하는 데 도움이 됩니다. Microsoft Research에서는 음성 인식을 위한 심층 신경망(Deep Neural Network, DNN)에 대한 초기 연구를 수행하여 발표했습니다. 이 연구는 일반적인 교차 엔트로피(Cross-Entropy) 훈련 기준과 DNN의 목표 오류율 간의 비호환성을 최초로 지적한 연구였습니다. 프레임 기반 교차 엔트로피 훈련 기준은 이 문제를 해결하기 위한 수단으로 전체 시퀀스 최대 상호 정보(Maximum Mutual Information, MMI) 최적화로 대체될 수 있습니다. 이를 위해 일종의 인터페이스를 통해 외부 세계와 연결된 얕은 신경망의 훈련 목표를 정의합니다. 교차 엔트로피를 생성하는 원래의 SoftMax 레이어는 제거되고 심층 신경망(DNN)의 맨 위에 있는 조건부 랜덤 필드(Conditional Random Field, CRF) 모델로 대체됩니다. (이 장에서는 DNN을 DBN이라고 불렀음을 기억하는 것이 중요합니다).

DNN 가중치, CRF 전이 가중치, 바이폰(Biphone) 언어 모델을 동시에 최적화하는 것이 이 새로운 순차적 판별 학습(Discriminative Training) 접근법을 개발하게 된 원동력이었습니다. 음성 과제는 TIMIT에 요약되어 있으며, 간단한 바이폰-그램(Biphone-Gram) '언어' 모델이 이를 수행하는 데 사용됩니다. 이는 매우 중요한 고려 사항입니다. 바이-그램 언어 모델의 근본적인 단순성 덕분에 격자 없이도 전체 시퀀스 학습을 수행할 수 있어 학습 프로세스가 크게 간소화됩니다. 이전의 DNN 전화 인식 연구에서는 정적 패턴 분류를 위한 일반적인 프레임 기반 목표 함수인 교차 엔트로피 목적 함수를 사용하여 DNN 가중치를 최적화했습니다. 이는 전체 시퀀스 훈련의 유용성에 대한 증거를 제공할 수 있는 또 다른 방법입니다. HMM(Hidden

Markov Model)에서 생성된 전환 매개변수와 언어 모델 점수는 각각 DNN 가중치와는 별도로 학습되었습니다. 그러나 시퀀스 분류 기준은 HMM 연구가 수행된 수년 동안 음성 및 전화 식별의 정밀도를 향상시키는 데 상당한 도움이 되는 것으로 입증되었습니다.

프레임 수준 기준과 비교했을 때 시퀀스 분류 기준은 성능 측정(예: 총 단어 또는 전화 오류율)과 보다 직접적인 연관성을 갖습니다. 좀 더 구체적으로 말하자면, 인접한 프레임이 전화 클래스 레이블에 대해 할당된 확률 분포의 간격이 작다는 사실을 명시적으로 고려하지 않고 프레임 수준 교차 엔트로피를 사용하여 전화 번호 시퀀스 인식을 위해 DNN을 훈련시킬 수 있습니다. 이는 인접한 프레임 간에 비교가 이루어지고 있다는 사실에도 불구하고 여전히 유효합니다. 이러한 한계를 극복하기 위한 한 가지 접근 방식은 보이는 특징의 전체 발화 또는 DNN을 사용하여 복구된 숨겨진 특징 시퀀스가 주어졌을 때 전체 레이블 시리즈의 조건부 확률을 최적화하는 것입니다. 이 목표를 달성하는 한 가지 방법은 조건부 확률을 최대화하는 것입니다.

활성화 매개변수, 전이 매개변수, 하위 계층 가중치에 걸쳐 기울기를 계산하여 훈련 데이터에 대한 로그 조건부 확률을 최적화한 다음, 문장 수준에서 정의된 오류의 역전파를 추구합니다. 이전 연구에서 신경망과 함께 CRF와 유사한 구조가 사용되었다는 점에 주목합니다. 이 연구의 수학적 모델은 에지 케이스로서 CRF를 포함하는 것으로 보입니다. 또한, 이 연구는 얕은 신경망에서 전체 염기서열 분류 기준을 사용할 때의 이점을 입증했습니다. 프레임 수준 교차 엔트로피를 목표로 DNN 가중치를 설정하는 것은 DNN 시스템에 대해 설명한 전체 시퀀스 학습 방법을 실행하는 첫 번째 단계입니다.

'바이폰 언어' 모델의 점수는 HMM 전이 행렬과 결합되어 전이 매개변수에 대한 초기화를 제공하며, 그 다음 공동 최적화를 준비하기 위해 DNN 가중치를 일정하게 유지하면서 전이 기능을 변경하여 최적화합니다. 이 작업은 결합 최적화에 앞서 완료됩니다. 전체 시퀀스 훈련은 프레임 수준 교차 엔트로피를 사용하여 훈련된 DNN보다 약 5% 더 우수한 성능을 발휘하는 것으로 입증되었습니다. 이러한 결과를 달성하고 과적합을 피하기 위해 공동 최적화와 신중한 스케줄링이 사용되었습니다. 과적합을 피하려는 시도가 없는 경우 MMI로 훈련된 DNN은 프레임 수준 교차 엔트로피로 훈련된 DNN보다 과적합에 더 취약한 것으로 나타났습니다. 이는 두 가지 접근 방식을 대조하여 알 수 있었습니다. 이는 개발 데이터와 학습 데이터에 비해 테스트 데이터에서 음성의 프레임 간 상관관계의 차이가 더 두드러지기 때문입니다. 그러나 훈련 중에 프레임 기반 목표 함수를 사용하면 이러한 불일치가 사라집니다. 이는 중요한 고려 사항입니다.

점점 더 복잡한 언어 모델을 사용하는 대규모 어휘에 대한 음성 인식 분야에 적용하면 DNN-HMM(Hidden Markov Model)의 전체 시퀀스 학습을 위한 최적화 전략이 훨씬 더 어려워집니다. 최초의 성공적인 훈련은 Kingsbury 등이 보고한 것으로, 이들은 대규모 어휘를 위해 특별히 개발된 병렬, 2차, 헤시안 프리(Hessian-Free) 최적화 방법을 사용했습니다.

이 기술에서는 음성 인식 어휘를 학습합니다. 사이나스 등은 헤시안 암시 추정에 사용되는 크릴로프 부분공간 솔버의 양을 줄임으로써 헤시안이 없는 알고리즘의 속도를 높이고 개선했습니다. 훈련 과정을 더욱 빠르게 진행하기 위해 샘플링을 사용해 훈련에 사용되는 데이터의 양을 줄였습니다. 대규모 DNN-HMM 시스템의 전체 시퀀스 훈련의 경우, 1차 확률적 경사 하강(Stochastic Gradient Descent, SGD) 훈련 방식이 효과적이라는 주장이 제기되었습니다. 이는 배치 모드 및 2차 헤시안 프리 훈련 전략에 추가됩니다. 격자 희소성 문제를 해결하기 위해서는 휴리스틱(Heuristic)이 필요하다는 것이 밝혀졌습니다.

DNN을 새로운 분자 격자에 맞게 조정하려면 프레임 기반 교차 엔트로피 훈련을 더 많이 수행해야 합니다. 또한 분모 격자에 거짓 조용한 호를 추가해야 합니다. 또는 프레임 기반 교차 엔트로피 목표를 사용하여 최대 상호 정보 목표 함수를 부드럽게 만들 수 있습니다. 결론은 목적 함수와 경사도 도출은 본질적으로 동일하지만, 희소 격자를 사용하여 대어휘 음성 인식 작업의 시퀀스 학습을 구현하려면 작은 작업의 시퀀스 학습 구현보다 훨씬 더 고급 기술 능력이 필요하다는 것입니다. 대어휘 음성 인식의 경우 DNN-HMM의 전체 시퀀스 훈련으로도 비슷한 결과를 얻을 수 있습니다.

한편, 여러 가지 다른 휴리스틱이 훈련의 다양한 지점에서 도움이 되는 것으로 나타났습니다. 이러한 특징에 대한 경험적 연구는 교차 엔트로피를 목표로 DNN을 훈련하기 위한 헤시안 프리 최적화 연구와는 별개로 수행되었습니다. 도그닌은 마침내 확률적 평균 기울기와 헤시안 프리 최적화를 결합하여 시퀀스 트레이닝 심층 신경망에 성공했습니다. 이 훈련 방법은 전체 헤시안 프리 시퀀스 훈련에 필요한 시간의 절반 정도에 수렴을 유도하기 때문에 성공적이었습니다. 프레임 수준 또는 시퀀스 수준 최적화를 위해 대규모 DNN-HMM 시스템을 훈련할 때 가장 중요한 것은 시간입니다. 이는 접근 가능한 방대한 양의 훈련 데이터와 모델 크기를 최대한 활용하기 위해 필수적입니다.

매우 큰 어휘의 음성 인식을 위해 대규모 제한 메모리 BFGS(L-BFGS), 비동기 스토캐스틱 경사 하강(Asynchronous Stochastic Gradient Descent, ASGD), 적응형 경사 하강(Adaptive Gradient Descent, Adagrad)을 사용하는 것도 주장되어 왔습니다. 방대한 음성 인식 작업을 수행하기 위한 DNN 기반 시스템의 학습 속도를 높이기 위해 사이나스는 다양한 최적화 전략에 대한 전반적인 검토를 제공했습니다. 하지만 반지도 학습 패러다임(Semi-Supervised Learning Paradigm)은 음성 인식을 위한 DNN-HMM 시스템 학습의 목적으로도 사용되고 있습니다. 모든 훈련 데이터에 레이블 정보가 포함된 완전 지도 학습(Fully Supervised Learning) 패러다임이 앞서 논의한 주제였기 때문입니다. 리아오는 유튜브의 음성 인식이라는 매우 어려운 문제를 해결하기 위해 DNN-HMM 시스템에서 반지도 학습을 활용할 수 있는 가능성을 조사했다고 밝혔습니다.

주요 전략은 '신뢰의 섬'(Islands of Confidence)으로 알려진 필터링 기법을 사용하여 유익한 훈련 데이터를 분리하는 것입니다. 이는 컴퓨터의 소프트웨어를 사용하여 수행됩니다. 베슬리 등은 이전 연구와는 다른 연구에서 발화 수준과 프레임 수준의 신뢰도를 기반으로 한 데이터 선택의 기초로 자가 학습(Self-Learning) 방법을 사용한 반지도형 DNN 훈련을 분석합니다. 혼동으로 인해 생성되는 프레임별 신뢰도를 활용하면 격자의 프레임을 성공적으로 선택할 수 있음을 발견했습니다. 여러 시스템을 조합해 훈련에 활용할 데이터를 결정한 후 결과에 대한 사용자의 신뢰도를 재보정하는 새로운 준지도 훈련 방식을 도입했습니다.

충분한 양의 학습 데이터 없이도 적은 리소스로 다양한 상황에서 음향 모델링을 향상시킬 수 있습니다. 제안된 기능을 프런트엔드에 적용하기 위해 미래의 음성 인식 시스템은 전사된 다국어 데이터와 반지도 학습을 사용하여 구축될 것입니다. 결론적으로, 지난 몇 년 동안 '드롭아웃'(Dropout) 알고리즘에 기반한 새로운 정규화 기법 덕분에 딥러닝을 기반으로 하는 음성 인식 분야에서 상당한 진전이 있었습니다. DNN은 훈련 중에 과적합이 발생하기 쉬우며, 수신되는 청각 데이터를 더 잘 설명하기 위해 여러 활성화가 함께 조정되는 공동 적응(Co-Adaptation)도 발생하기 쉽습니다. 이 두 가지 문제는 모두 네트워크가 훈련 중일 때 발생할 수 있습니다. 과적합과 공동 적응은 DNN에서 발생할 수 있는 문제입니다. 그룹에서 탈퇴하는 것은 공동 적응의 부정적인 영향을 완화하는 데 사용할 수 있는 한 가지 전략입니다.

지금까지 살펴본 것이 이 기술이 작동하는 방식입니다. 각 훈련 인스턴스에서 각 숨겨진 단위는 미리 정해진 확률(예: p = 0.5)

로 제거됩니다. 이는 시스템이 패턴을 인식하는 방법을 배우는 데 도움이 됩니다. 그 직접적인 결과로 모델은 시간이 지남에 따라 점점 더 정확해집니다. 그 후 디코딩은 평소와 동일한 방식으로 수행되지만 한 가지 사소한 변경 사항, 즉 DNN의 가중치가 1-p씩 감소한다는 점을 제외하면 DNN 가중치를 확장할 수 있습니다. 이는 디코딩 과정 중에 수행하는 것보다 훈련 과정 전체에 걸쳐 1/(1-p) 정도 더 많이 수행합니다.

DNN을 훈련할 때 드롭아웃(Dropout) 정규화를 활용하면 많은 이점을 얻을 수 있습니다. 여러 네트워크에 걸쳐 모델을 평균화하는 것도 이러한 이점 중 하나이며, DNN 내부의 숨겨진 유닛이 다른 유닛의 성능에 의존하지 않고 자체적으로 성공적으로 작동할 수 있는 가능성도 있습니다. 훈련 데이터의 양이 제한되어 있거나 훈련에 사용된 데이터에 비해 DNN의 규모가 지나치게 클 경우 이러한 장점은 더욱 분명해집니다. ReLU(Rectified Linear Unit) 유닛과 함께 완전히 연결된 DNN의 초기 몇 개의 레이어는 드롭아웃을 사용하여 테스트되었습니다. 셀처는 이 방법을 배경 소음이 있음에도 불구하고 음성을 식별해야 하는 문제에 적용했습니다. 반면 심층 컨볼루션 신경망(Deep

Convolutional Neural Network, CNN)은 네트워크의 모든 계층에 드롭아웃을 통합합니다. 완전히 연결된 DNN이 최상위 레이어 역할을 하고 로컬로 연결된 CNN이 최하위 레이어 역할을 하며 풀링(Pooling) 레이어가 중앙에 위치합니다.

컨볼루션 계층의 드롭아웃 비율을 크게 줄일 수 있다는 것이 입증되었습니다. 미아오가 수행한 연구는 리소스 부족과 학습 데이터 부족으로 인해 DNN 기반 음성 인식이 방해받는 상황에서 드롭아웃을 활용하는 후속 연구의 한 예에 불과합니다. Sainath는 최근 드롭아웃을 여기에 설명된 여러 가지 새로운 기법(딥 CNN 사용, 헤시안 프리(Hessian-Free) 시퀀스 학습, ReLU 유닛 사용, 공동 fMLLR 및 필터 뱅크 기능 사용 등)과 결합하여 여러 대규모 어휘 음성 인식 작업에서 최첨단 결과를 달성했습니다. 이러한 결과는 드롭아웃과 여기에 설명된 여러 가지 새로운 기술을 결합하여 얻을 수 있었습니다. 이러한 목표를 달성하기 위해 드롭아웃은 지금까지 제시된 여러 가지 새로운 방법과 함께 활용되었습니다. 요컨대, 딥러닝은 2010년경 음성 분석 및 인식 분야에서 발견된 초기 성공을 바탕으로 지난 3년 동안 상당한 진전을 이루었습니다.

이 주제를 다루는 연구와 출판물의 수가 급격히 증가한 것에서 알 수 있듯이 음성 인식 커뮤니티는 당면한 문제에 대해 깊은 관심을 갖게 되었습니다. 멀지 않은 미래에 딥러닝을 기반으로 한 음성 인식에 대한 연구는 계속해서 크게 확대될 것으로 예상됩니다. 음성 인식 분야에서 딥 러닝이 지속적으로 큰 성공을 거두고 있다고 말하는 것도 정확합니다.

이 장에서 다뤘던 음성 인식에서의 딥 러닝의 성공은 현재 진행 중인 딥 러닝의 다른 영역에 대한 방대한 연구와 적용에 중요한 자극제가 될 수 있으며, 앞으로 살펴보도록 하겠습니다. 왜냐하면 이 장에서는 음성 인식 분야에서 딥러닝의 성공에 대해 설명해왔기 때문입니다(ASRU-2013의 시점까지). 이는 음성 인식에 딥러닝 기술을 적용하면 음성 인식 시스템의 정확도가 크게 향상된다는 사실이 입증되었기 때문입니다.

7.11 오디오 및 음악 처리

딥 러닝은 최근 오디오 및 음악 처리 분야에서 많은 관심을 끌고 있지만 그 이전의 음성 인식에 비해서는 낮은 수준입니다.

이는 딥 러닝이 아직 형성 단계에 있기 때문입니다. 예를 들어 2009년에는 음성 인식을 위한 딥 러닝 분야에서 첫 번째 큰 성과가 있었는데, 이는 당시로서는 큰 이정표였습니다. 2012년에 열린 국제 음향, 음성 및 신호 처리 컨퍼런스(ICASSP)에서는 이 주제에 대한 포괄적인 튜토리얼이 제공되었습니다. 같은 해 음성 인식 분야에서 가장 권위 있는 학술지인 IEEE 트랜잭션스 온 오디오, 스피치, 언어 처리의 특별호도 발간되었습니다. ICASSP-2014에서 열린 오디오 및 음악 처리를 위한 딥러닝 특별 세션은 이 분야에서 처음으로 열린 대규모 행사였습니다. 딥 러닝은 음악 신호 처리, 음악 정보 검색 등 오디오 및 음악 처리 연구의 여러 하위 분야에 큰 영향을 미쳤습니다.

딥러닝을 사용할 때 이러한 각 분야에는 고유한 장애물이 존재합니다. 음악의 오디오 신호는 시계 시간이 아닌 리듬과 감정에 중점을 두는 음악 시간으로 구성되어 시계 시간과는 다른 독특한 시계 계열로 구성됩니다. 시계 시간은 선형적인 방식으로 구성되지만 음악 시간은 비선형적인 방식으로 구성됩니다. 대부분의 경우 면밀히 분석하는 신호는 서로 겹치거나 시간에 맞춰 고정된 음성의 불협화음입니다. 이 외에도 최근과 먼 과거의 시간적 연결고리가 통합되어 있습니다. 전통, 스타일, 작곡가의 해석, 개인의 해석 등이 영향을 미칠 수 있는 몇 가지 측면입니다. 신호 표현은 복잡하고 가변적인 신호의 존재로 인해 더 어려워질 수 있으며, 이는 딥러닝 처리 기술을 통해 제공되는 높은 수준의 추상화로 인해 도움이 될 수 있습니다. 이러한 전략은 인지적 과정뿐만 아니라 물리적 과정에도 그 뿌리를 두고 있습니다.

컨볼루션 구조는 오디오 신호에 대한 선구적인 연구와 그 후속 연구에서 DBN(Deep Belief Network)을 형성하는 데 사용된 RBM(Restricted Boltzmann Machine)에 적용되었습니다. 이것은 두 사람의 연구 모두에서 이루어졌습니다. 이 작업은 음파를 변경하는 동시에 수행되었기 때문에 두 가지 작업이 동시에 완료되었습니다. 시간 컨볼루션은 여러 시간대에 걸쳐 '불변'인 특징을 식별하기 위해 숨겨진 단위의 가중치를 서로 교환해야 합니다. 그런 다음, 주변 시간 영역에 위치한 숨겨진 유닛의 최대 활성화 값을 수집하기 위해 최대 풀링(Max Pooling) 기법이 사용됩니다. 그 직접적인 결과로 이웃 수준에서 약간의 시간적 불변성을 가져옵니다. 이렇게 생성된 컨볼루션 DBN을 음악가 및 장르 식별, 화자 분류, 화자 성별 분류, 전화기 분류 등 다양한 작업의 오디오 데이터와 음성 데이터에 적용하면 긍정적인 결과를 얻을 수 있습니다. 이러한 작업에는 음악 아티스트 및 장르 식별이 포함됩니다.

최근에는 음악 데이터 분석이 필요한 애플리케이션에도 RNN(Recurrent Neural Network)이 활용되고 있습니다. RNN은 로지스틱(Logistic) 또는 탄(Tanh) 비선형성을 사용하는 기존의 관행에 대한 대안으로 특정 상황에서 ReLU 숨겨진 유닛의 사용을 연구합니다. 이전 섹션에서 살펴본 것처럼 ReLU 유닛은 y = 최대(x, 0)를 계산하므로 기울기가 더 희박하고, RNN 내에서 칭찬과 비난의 재분배가 적으며, 훈련 속도가 빨라집니다. 끊임없이 진화하는 음악 정보 검색 분야에서는 오디오 음악에서 코드 진행을 자동으로 감지하는 과정에서 RNN을 활용합니다. 이 인식 과정은 RNN의 맥락에서 이루어집니다. RNN 아키텍처는 동적 시스템을 모델링하는 데 매우 성공적이어서 상당히 널리 보급되었습니다. RNN은 숨겨진 상태라고도 하는 내부 메모리를 가지고 있습니다.

그의 기억은 뉴런의 기본 계층으로 표현되며, 각 뉴런은 고유한 연결을 가지고 있습니다. 이러한 특성으로 인해 크기 스펙트로그램의 프레임이나 고주파 진행의 레이블과 같은 시계열 모델링에 이상적입니다. RNN에 적절한 양의 훈련이 주어지면 이전 시간 단계의 출력을 기반으로 다음 시간 단계의 출력을 예측할 수 있게 됩니다. 실험 결과는 RNN 기반 자동 코드 식별 시스템이 다른 혁신적인 방법과 경쟁에서 우위를 점할 수 있음을 보여줍니다. RNN은 화성 진행 및 템포 다이나믹과 같은 음악의 기본적 측면에 대한 감도가 뛰어납니다. 오디오 입력이 불분명하거나 지나치게 크거나 구별이 부족한 경우에도 음악적으로 가장 신뢰할 수 있는 코드 시퀀스를 찾아낼 수 있습니다.

험프리가 쓴 최신 리뷰 논문은 콘텐츠 기반 음악 정보학에 대한 포괄적인 분석을 제공하며, 특히 이 분야의 발전을 가로막고 있는 문제에 주목합니다. 연구 결과에 따르면, 얕은 아키텍처에는 근본적인 제약이 있고, 단시간 분석에는 음악적으로 관련된 구조를 담을 수 없으며, 수작업으로 이루어지는 기능 설계는 비용이 많이 들고 지속 가능하지 않습니다. 이것이 이번 연구의 세 가지 주요 시사점입니다. 이러한 연구 결과는 딥러닝 기술을 이용한 자율 피처 학습의 과제를 해결하는 데 원동력을 제공합니다.

딥 아키텍처는 음악의 계층적 구조를 표현하는 데 특히 적합하기 때문에 이제 음악 검색 시스템의 내부 특징 표현을 개선하거나 특징 학습을 채택하여 직접 위치를 찾을 수 있습니다. 과거에는 불가능했던 일입니다. 이는 보다 심층적인 아키텍처 설계에 대한 필요성이 커지고 있기 때문입니다.

결론적으로 반 덴 오르트가 수행한 가장 최근의 딥러닝 기반 콘텐츠 기반 음악 추천 연구를 살펴보겠습니다. 자동 생성된 음악 추천의 기반이 되는 기술은 곧 실생활에 적용할 수 있을 정도로 발전하고 있습니다. 콜드 스타트 문제는 대다수의 추천 시스템에서 사용하는 협업 필터링에 영향을 미칩니다. 이 문제는 처리할 사용 데이터가 충분하지 않을 때 협업 필터링이 실패하는 원인이 됩니다. 따라서 새로운 음악이나 덜 인기 있는 노래를 추천할 때 협업 필터링은 결과적으로 효과가 없습니다. 사용 데이터에서 잠재 요인을 수집할 수 없는 경우, 추천을 위한 잠재 요인 모델은 음악 오디오에서 잠재 요인을 예측하는 딥 러닝으로 구동됩니다. 이는 소비 데이터에서 잠재 요인을 검색할 수 없는 경우에 수행됩니다. 딥 러닝을 예측 모델링의 한 유형으로 보는 것도 같은 맥락에서 이해할 수 있습니다.

여기에서는 딥 CNN과 오디오 신호의 백 오브 워드(Bag of Words) 표현을 사용하는 표준 기법을 비교한 결과를 자세히 설명합니다. 비교는 이 두 가지 방법을 비교하는 방식으로 진행되었습니다. 연구 결과에 따르면 잠재 구성 요소의 예측을 활용하는 심층 컨볼루션 신경망(CNN)이 진실에 상당히 근접한 제안을 제공합니다. 이 연구는 컨볼루션 신경망과 보다 포괄적인 오디오 데이터의 통합이 콘텐츠 기반 음악 추천을 개선할 수 있는 잠재력을 가지고 있음을 강조합니다. 이러한 개선의 결과는 상당히 고무적입니다. 음악 및 오디오 신호 처리를 연구하는 커뮤니티는 음성 인식 및 음성을 연구하는 그룹과 유사합니다. 이러한 합성은 비교적 가까운 미래에 상당한 진전을 이룰 것으로 예상됩니다.

7.12 자연어 처리

텍스트, 문서, 언어의 처리와 관련된 연구는 최근 특히 신호 처리 분야에서 관심이 급증하고 있습니다. IEEE 신호 처리 학회의 음성 및 언어 처리 기술 위원회에서는 그 중요성 때문에 이를 최우선 연구 과제 중 하나로 지정했습니다. 언어 모델링

(Language Modeling, LM)은 딥러닝의 첫 번째 응용 분야로 널리 사용되었습니다. 문자, 음소 및 기타 언어 구성 요소를 포함한 모든 언어 기호 문자열에 대한 확률 값을 제공하는 것이 LM의 목표입니다. 계산 언어학(Computational Linguistics)이라고도 불리는 자연어 처리(NLP)는 단어 문자열이나 기타 언어 기호에 초점을 맞춘 또 다른 연구 분야입니다. 통계적 기계 번역(Statistical Machine Translation)은 언어 기호에 대한 확률을 제공하는 데 집중하지만 NLP 작업은 번역, 구문 분석, 텍스트 분류 등 훨씬 더 다양한 작업을 수행합니다.

LM은 많은 NLP 시스템에서 필수적이고 유익한 부분입니다. 자연어 처리 분야의 연구자들은 딥러닝을 해당 분야에서 발생하는 가장 어려운 문제를 해결하는 데 잠재적으로 유용한 도구로 인식하고 있습니다. 음성 및 시각 분야의 응용 분야와 비교할 때, 딥러닝과 NLP를 연구하는 학자들 간의 협력은 다른 응용 분야만큼 활발하지 않습니다. 그 이유 중 하나는 딥러닝이 NLP의 최신 기술보다 더 성공적이라는 것을 입증하는 실제 증거가 그다지 설득력이 없다는 사실입니다. 다른 이유로는 음성이나 시각적 객체 인식과 달리 딥 러닝은 그다지 효과적이지 않다는 사실도 있습니다.

7.13 언어 모델링

언어 모델링(Language Modeling, LM)은 다양한 자연어 처리 관련 활동에서 광범위하게 활용됩니다. 이러한 작업에는 통계적 기계 번역, 음성 인식, 텍스트에서 정보 검색 등이 포함됩니다. N-그램의 개수는 LM의 매개변수 값을 결정하는 데 사용되는 기존 방법의 기초가 됩니다. N-그램은 오랫동안 금과옥조로 여겨졌습니다.

신경망 및 딥러닝 기반 모델이 여러 일반적인 벤치마크 작업에서 LM의 난해성을 크게 낮출 수 있다는 사실이 입증되기 전까지는 표준으로 사용되었습니다. N-그램은 다양한 분야의 연구 기관에서 많은 노력을 기울여 왔음에도 불구하고 인정된 부적절성을 극복하지 못했습니다.

신경망에 기반한 LM을 살펴보기 전에 심층 및 재귀 구조를 개발하는 과정에서 계층적 베이지안 전제 조건의 적용에 대해 잠시 논의해 보겠습니다. 좀 더 구체적으로 설명하자면, 베이지안 전제 조건으로 Pitman-Yor 프로세스를 사용하는 심층 확률적 생성 모델이 구축됩니다. 이 모델은 4개의 레이어로 구성됩니다. 언어 데이터에 적용된 전력법 분포를 활용하여 LM 평활화 프로세스에 보다 논리적인 관점을 제공합니다. 판별 신경망에 기반한 구성과 비교할 때, 생성적 확률론적 모델링에 기반한 구성은 앞서 살펴본 것처럼 이러한 유형의 사전 지식 임베딩을 훨씬 더 간단하게 수행할 수 있습니다. 다음 섹션에서 살펴볼 신경망 기반 LM에서 얻은 결과는 이 부분에서 소개한 LM이 달성한 난해성 감소라는 측면에서 훨씬 더 인상적입니다.

LM에서 (얕은) 피드 포워드 신경망을 사용하는 NNLM(Neural Network Language Model)은 한동안 유행했던 방식입니다. DNN(Deep Neural Network)은 최근에야 LM에 동일한 방식으로 사용되기 시작했습니다. 확률 함수 또는 LM은 자연어에서 단어 시퀀스의 분포를 모델링하는 데 사용할 수 있는 함수의 한 유형으로, 분포의 필수적인 통계적 측면을 포착합니다. 문장의 문맥을 평가하여 문장의 다음 단어에 대한 정확한 추정치를 도출할 수 있습니다. '차원의 저주'(Curse of Dimensionality)로 인한 해로운 영향을 완화하기 위해 신경망의 분산 표현 학습 기능을 활용하는 모델이 만들어졌습니다. 이것이 원래의 NNLM이 작동하도록 설계된 방식이며, 그 구조는 피드 포워드 신경망의 구조와 매우 유사합니다. 길이 N에서 1을 뺀 히스토리로 구성된 N-그램 NNLM의 입력은 이 히스토리에서 파생됩니다.

N에서 1을 뺀 각각의 이전 단어를 인코딩하기 위해 특히 효율적인 방법인 1-of-V 코딩이 사용되었습니다. 여기서 V는 어휘집에 포함된 단어의 총량을 의미합니다. 그런 다음, 모든 문맥에서 단어가 공유하는 투영 행렬을 활용하여 단어의 1-of-V 직교 표현을 저차원 공간에 선형적으로 투영합니다. 용어 '단어 임베딩'(Word Embedding)은 일반적인 기호 또는 지역주의적 표현 기법과 달리 연속 공간에 기반하고 분산된 단어의 표현을 의미합니다.

투영 레이어 뒤에는 비선형 활성화 기능을 가진 히든 레이어가 있습니다. 이 함수에는 쌍곡탄젠트(Hyperbolic Tangent)와 로지스틱 시그모이드(Logistic Sigmoid)가 모두 적용될 수 있습니다. 출력 계층은 신경망의 숨겨진 계층 다음에 구성되는 신경망의 다음 계층입니다. 전체 어휘의 크기는 이 계층에 포함된 출력 단위의 수에 정비례합니다. 네트워크가 학습된 후에는 출력 계층의 활성화에 "N-gram" 확률 행렬의 확률 분포가 표시됩니다. 기존의 카운팅 기반 N-그램 LM과 달리 NNLM을 채택함으로써 얻을 수 있는 가장 큰 이점은 히스토리가 N개의 단어로 이루어진 정확한 시퀀스가 아니라 전체 히스토리를 저차원 공간에 투영한 것으로 취급된다는 것입니다. 이는 일반적인 카운팅 기반 N-그램 LM에 비해 큰 장점입니다.

따라서 학습이 필요한 모델 파라미터의 총 수가 줄어들어 상대적으로 서로 비슷한 히스토리를 자동으로 클러스터링하는 것이 더 쉬워집니다. 단어 간 유사도가 다양한 공간에 모든 단어를 투영하는 NNLM과 달리, 클래스 기반 N-그램 LM은 모든 단어를 동일한 저차원 공간에 투영합니다. 이는 클래스 기반 N-그램 LM이 단어가 차이점보다 유사점이 더 많다는 생각에 기초하기 때문입니다. 그럼에도 불구하고 NNLM의 계산 복잡도는 N-그램 LM보다 훨씬 더 높습니다. 분산 표현이 가져다주는 이점과 NNLM이 제공하는 기능에 대해 다시 한 번 살펴보겠습니다. 기호의 의미를 특징짓는 데 사용할 수 있는 특성 벡터는 기호의 분산 표현을 나타낸 그림입니다.

이러한 특성을 사용하여 우리는 기호를 설명할 수 있습니다. 벡터의 개별 구성 요소의 상호 작용은 궁극적으로 벡터에 의해 전송되는 메시지로 이어집니다. NNLM을 사용할 때는 학습 과정을 통해 관련 특성을 찾아야 하며, 그 중 일부는 연속값 변수가 있는 구성 요소를 포함할 수 있습니다. 단어 임베딩은 데이터 저장 수단으로 사전의 각 단어를 연속값 벡터 표현과 연관시키도록 스스로 학습하는 기본 개념에 기반합니다. 학술 문헌에서 단어 임베딩이라고 불리는 이 개념은 특징 공간의 단일 점이 개별 단어를 나타냅니다. 단어의 의미와 문법 구조가 그 장소의 다양한 차원과 상관관계가 있다고 믿는 함정에 빠지기 쉽습니다.

적어도 특정 측면에서는 의미적으로 연관성이 있는 단어들을 현재보다 훨씬 더 가깝게 물리적으로 클러스터링하는 것이 목표입니다. 따라서 텍스트 문자열을 최근에 획득한 이러한 일련의 특징 벡터로 변환하는 것이 가능합니다. 필요한 훈련이 완료되면 신경망은 특징 벡터로부터 데이터를 추정하여 다음 단어의 확률 분포를 결정할 수 있게 됩니다. 모델이 훈련 단어 시퀀스 집합에는 없지만 속성, 즉 분산 표현 측면에서 유사한 시퀀스로 효과적으로 일반화할 수 있기 때문에 LM을 구축할 때 분산 표현을 사용하는 것이 유용합니다. 이는 모델이 훈련 단어 시퀀스 집합에 포함되지 않은 시퀀스로 성공적으로 일반화할 수 있기 때문입니다. 신경망은 가까운 입력을 인접한 출력에 매핑하는 경향이 있기 때문에 유사한 단어 시퀀스에 해당하는 예측은 유사한 예측으로 변환됩니다.

이러한 변화는 결국 신경망의 작동 방식 때문에 작동합니다. 여러 연구 프로젝트에서 앞서 설명한 NNLM 개념을 적용하기 위해 딥 아키텍처를 사용했습니다. 언어 모델링에 사용된 시간적 요인 RBM(Temporal Factor RBM)은 매우 방대한 어휘를 처리하기 위해 NNLM의 출력을 계층적으로 구조화한다는 개념의 선구자였습니다. 이는 시간적 요인 RBM을 사용함으로써 달성할 수 있었습니다. 매우 광범위한 어휘를 효과적으로 관리하는 것이 목표였기 때문에 이 작업을 수행했습니다. 이와는 대조적으로, 팩터링된 RBM(Factored RBM)은 문맥 단어뿐만 아니라 예측할 단어에 대해서도 분산된 표현을 통합하는 반면, 기존의 N-그램 모델은 그렇지 않습니다.

NNLM의 '심층'(Deep) 설계에 대한 추가 연구 결과는 여기에서 볼 수 있으며, 이는 이 방법의 발전 가능성이 있음을 시사합니다. 이 개념을 더 깊이 이해하기 위해 먼저 구조화된 출력 레이어(Structured Output Layer, SOUL)가 있는 신경망 레이어 모델(NNLM)을 정의해 보겠습니다. 이 모델에서는 LM의 처리 깊이가 신경망에서 생성되는 출력의 표현에 주로 초점을 맞추고 있습니다. 그림 7.5에서 볼 수 있는 SOUL-NNLM의 설계는 신경망의 출력 레이어에서 계층적 구조를 활용합니다. 숨겨진 레이어까지 이 신경망의 설계는 표준 NNLM의 설계와 동일합니다.

이러한 NNLM의 구조는 다른 신경망의 구조와 비슷합니다. 그림 7.5의 오른쪽에 네트워크 출력 어휘의 계층 구조를 보여주는 클러스터링 트리를 볼 수 있습니다. 이 트리는 각 단어가 정확히 하나의 범주 그룹에 어떻게 배치될 수 있는지, 그리고 이러한 각 단어 그룹이 트리의 단일 리프 노드까지 어떻게 추적될 수 있는지를 보여줍니다. 계층적 특성으로 인해 SOUL-NNLM은 매우 광범위하고 매우 큰 어휘를 사용하여 NNLM에 훈련을 제공할 수 있습니다. 이는 훈련 중 정확한 계산을 위해 단어 후보 목록을 만들어야 하는 기존 NNLM과 비교할 때 여러 가지 장점이 있습니다. 모델 훈련 절차에서 이러한 이점을 활용할 수 있습니다. 또 다른 다양한 신경망 기반 LM은 순환 신경망(Recurrent Neural Network, RNN)의 도움으로 방대한 언어 표현을 구성하는 것으로, RNN이라고도 합니다.

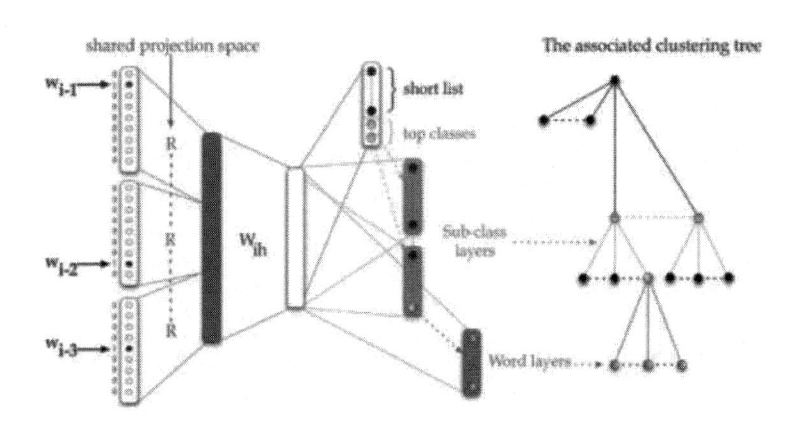

그림 7.5: 신경망의 출력 레이어에 계층적 구조가 있는 SOUL-NNLM 아키텍처
출처: 딥러닝 방법과 데이터 수집 및 처리 방법과 응용, 2013

RNNLM(Recurrent Neural Network Language Model)은 단어 히스토리가 표현되는 방식에서 피드 포워드 아키텍처와 리커런트 아키텍처의 가장 큰 차이점을 보여줍니다. 피드 포워드 NNLM(Neural Network Language Model)을 사용할 때, 히스토리는 여전히 이전에 나온 몇 개의 단어로 제한됩니다. 반면,

RNNLM은 학습 과정을 통해 정확한 히스토리 표현을 학습할 수 있습니다. RNN의 히든 레이어는 이전의 모든 히스토리를 캡처할 수 있기 때문에, 이 모델은 확장된 문맥 패턴을 반영할 수 있는 잠재력을 가지고 있습니다.

피드 포워드 방식의 이전 모델과 비교했을 때, RNNLM은 단어 시퀀스에서 더 복잡한 패턴을 표현할 수 있는 중요한 이점을 가집니다. 예를 들어, 역사적으로 여러 번 발생한 단어에 의존하는 패턴은 반복 아키텍처를 사용하면 더 효과적으로 저장할 수 있습니다. RNNLM은 히든 레이어 상태에 특정 단어를 기억할 수 있지만, 피드 포워드 NNLM은 히스토리에서 단어의 각 위치에 대한 매개변수를 사용해야 합니다. 출처에서 제공한 그림 7.5는 시간에 따른 역전파 방법을 사용하여 RNNLM을 훈련하는 방법을 보여줍니다. 이 그림은 훈련 중에 RNN이 어떻게 딥 피드 포워드 네트워크로 확장되는지 보여줍니다.

7.14 자연어 처리

최근 머신 러닝은 자연어 처리(NLP)에 가장 유용한 기술로 나타났습니다. 기계 학습은 자연어 처리에 사용되어 왔지만, 대부분의 경우 텍스트 입력에서 수동으로 구축된 기존 표현과 특성에 대한 수치 가중치를 개선하는 데만 사용되었습니다. 딥 러닝은 방대한 양의 학습 데이터를 활용하여 다양한 NLP 애플리케이션에서 사용할 수 있는 정확한 텍스트 표현을 자동으로 구축하는 자연어 처리 기술입니다. 신경망에 기반한 딥 러닝 방법은 언어 모델링, 번역, 품사 태깅, 자연어 처리, 감정 분석, 의역 감지 등 다양한 NLP 애플리케이션에서 성공적으로 입증되었습니다.

딥러닝의 능력은 사람이 직접 설계한 외부 리소스나 시간 집약적인 기능 엔지니어링 없이도 컴퓨터가 이러한 작업을 수행할 수 있게 해주는 것입니다. 딥러닝은 "임베딩"이라는 기본 개념을 개발하고 활용합니다. 임베딩은 자연어 텍스트의 단어, 구, 문장 수준에서 연속값 벡터의 형태로 기호 정보를 저장하는 프로세스입니다. 단어 임베딩은 언어 모델링의 결과로 시작된 소박한 기원에서 먼 길을 걸어왔지만, 학계에서는 현대 연구에서 점점 더 중요해지는 임베딩의 위치를 인식하지 못하고 있습니다. 원시 기호 단어 표현은 신경망에 의해 처리되며, 신경망은 이를 1-of-V 코딩된 스파스 벡터에서 저차원 실수값 벡터로 변경합니다. 이러한 벡터는 다음 단계의 신경망에서 추가 처리를 거칩니다. 연속 공간의 분산된 특성으로 인해 서로 동등한 의미를 가진 단어의 표현을 혼합하거나 공유할 수 있습니다.

초기에는 1-of-V라는 인코딩 방법을 사용해 각 단어의 표현을 매우 고차원적인 공간에 저장했습니다. 신경망에서는 단어의 '문맥'이 학습 신호로 사용되는 경우가 많기 때문에 비지도 학습이 사용됩니다. 이를 통해 직접적인 감독 없이도 단어를 학습할 수 있습니다. 단어 임베딩을 실행하도록 신경망을 훈련시킬 수 있으며, 최근에 Socher 등이 발표한 튜토리얼은 이를 수행하는 방법에 대한 환상적인 예시를 제공합니다. 최근 연구에서는 단어 임베딩을 학습하기 위한 독특한 전략이 제시되었습니다. 이러한 전략은 단어의 의미를 보다 정확하게 포착하기 위해 로컬 및 글로벌 문서 컨텍스트를 모두 고려합니다. 이러한 새로운 방법은 각 단어에 대한 많은 임베딩 학습을 포함하기 때문에 동음이의어와 다의어를 고려하는 데 더 적합합니다.

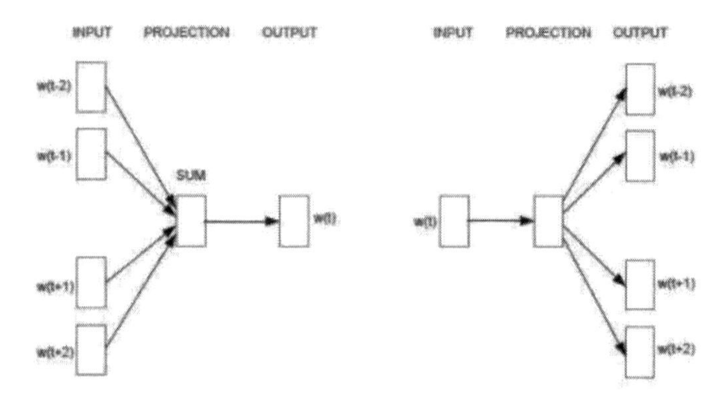

그림 7.6: 왼쪽의 CBOW 아키텍처(A)와 오른쪽의 스킵그램 아키텍처(B).
출처: 딥러닝: 방법과 응용 데이터 수집 및 처리 방법, 2023

추가 데이터에 따르면 RNN은 단어 내포 학습에 있어 실험적으로 높은 성능을 제공할 수 있으며, 이러한 증거는 RNN을 고려해야 함을 시사합니다. 문맥에서 미래의 단어를 예측하는 것이 주요 기능인 NNLM을 사용하면 결과적으로 단어 임베딩이 생성되지만, 단어 예측에 의존하지 않고 단어 임베딩을 구성하는 더 쉬운 방법도 있습니다. 예를 들어, 단어 임베딩 생성기를 사용할 수 있습니다. Collabert와 Weston의 연구에 따르면, 단어 임베딩을 구성하는 데 사용되는 신경망은 훨씬 적은 수의 출력 단위로도 작동할 수 있습니다.

이는 엄청난 양의 저장 공간을 필요로 하는 일반적인 NNLM과는 대조적입니다. 콜로버트는 단어 임베딩에 관한 초기 챕터에서 컨볼루션 네트워크를 공통 모델로 사용하여 기존의 많은 문제를 동시에 해결했습니다. 이러한 문제에는 품사 태깅, 청킹, 명명된 엔티티 태깅, 의미론적 역할 식별 및 관련 단어 식별이 포함되었습니다. 이러한 주제는 단어 임베딩에 초점을 맞춘 첫 번째 장에서 다룹니다. 최근 연구를 통해 빠르고 간단하게 사용할 수 있는 구문 분석 접근법이 개발되었습니다. 이 방법은 심층 반복 컨볼루션이라는 아키텍처를 사용합니다. 자연어 처리의 문제를 "처음부터" 해결하기 위해서는 통합 신경망 설계와 관련 딥 러닝 알고리즘의 다양한 응용 분야에 대한 철저한 소개가 필수적입니다. 이 때문에 기존의 자연어 처리 접근 방식으로는 특징을 추출하는 것이 불가능합니다. 이 분야에서는 '인위적인' 또는 작업별 특징 엔지니어링은 어떤 대가를 치르더라도 피해야 합니다. 대신 모든 NLP 작업에 사용할 수 있을 만큼 다재다능한 딥러닝 생성 기능을 제공하는 데 주력하고 있습니다. 이러한 기능은 보편적으로 적용 가능합니다.

8장. 멀티모달 및 멀티태스크 학습

8.1 소개

멀티태스크 학습은 컴퓨터가 여러 상호 연결된 작업을 동시에 수행하도록 하는 머신 러닝 기법입니다. 이 방법은 공유 표현을 사용하여 다양한 종류의 작업, 데이터 유형 및 주제에 대한 광범위한 일반화를 목표로 합니다. 전이 학습의 두 가지 주요 형태인 지식 전이 학습과 적응 학습은 각각 다양한 작업에 대한 지식의 일반화와 순차적 전달에 중점을 둡니다. 멀티태스킹 학습은 텍스트, 오디오/음성, 터치, 시각적 정보 등 다양한 양식의 데이터를 포괄합니다.

이러한 데이터는 인간과 컴퓨터 간 상호 작용 또는 다른 애플리케이션에서 활용될 수 있습니다. 딥러닝은 이러한 멀티태스킹 문제에 대한 해결책을 제공하는 데 적합합니다. 딥러닝은 복잡한 머신 러닝 문제에 대한 기능이나 표현을 자동으로 개발하는 데 사용될 수 있습니다. 멀티태스크 학습은 특히 학습 데이터가 부족한 상황에서 유용하며, 이를 제로샷 학습 또는 원샷 학습이라고도 합니다.

8.2 멀티모달리티: 텍스트와 이미지

텍스트와 이미지를 결합하는 멀티모달 학습은 서로 다른 두 형태의 정보를 연결하는 데 유용합니다. 예를 들어, 사진에 대한 텍스트 설명은 멀티모달 학습 시스템의 학습 데이터로 활용될 수 있습니다. 이러한 접근 방식은 텍스트와 이미지가 공유 의미 공간에서 유사하게 표현될 때 더욱 효과적입니다. 멀티모달 학습은 시각적 식별과 이미지를 텍스트 지식과 통합하는 데 도움이 됩니다.

이 분야의 초기 연구는 시각적 식별과 텍스트 정보의 결합에 중점을 두었습니다. DeViSE(Deep Visual-Semantic Embedding)는 이미지와 텍스트를 결합하는 혁신적인 멀티모달 학습 아키텍처입니다. DeViSE는 텍스트 데이터를 활용하여 이미지 인식 시스템을 개선하며, 특히 제로샷 학습에 유용합니다. 이 시스템은 레이블이 지정된 이미지 데이터와 레이블이 없는 텍스트 데이터를 모두 사용하여 학습됩니다. DeViSE 아키텍처는 이미지 분류에 사용되는 심층 컨볼루션 신경망(CNN)과 텍스트 임베딩 모델을 결합합니다. 각 모델은 사전에 학습된 하위 레이어에서 파생된 초기화 매개변수를 사용합니다. 학습 중에 사용되는 손실 함수는 유사성 측정과 최대 마진, 힌지 순위 손실을 결합한 것입니다.

DeViSE와 유사한 이전 모델인 WSABIE(Web-Scale Annotation by Image Embedding)는 이미지 및 라벨 임베딩 모델을 훈련하는 데 얕은 아키텍처를 사용했습니다. WSABIE는 선형 매핑과 결합하여 공동 임베딩 공간에 도달하는 기본 이미지 특징을 활용합니다. 반면, DeViSE는 비선형적인 이미지와 텍스트 임베딩 특징 벡터를 구성합니다. 연구 결과에 따르면, 텍스트 정보는 제로샷 사진 예측을 개선하는 데 기여합니다. 최종 결과는 이미지 모델이 이전에 본 적이 없는 수천 개의 라벨에 대해 상당한 성공률을 기록했습니다.

이러한 멀티모달 학습 접근 방식은 다양한 학습 활동과 교육적 접근 방식을 혼합하여 새로운 애플리케이션에 적용할 수 있는 가능성을 보여줍니다. 현재 진행 중인 연구는 이 분야에서 더 많은 발전을 기대하게 합니다.

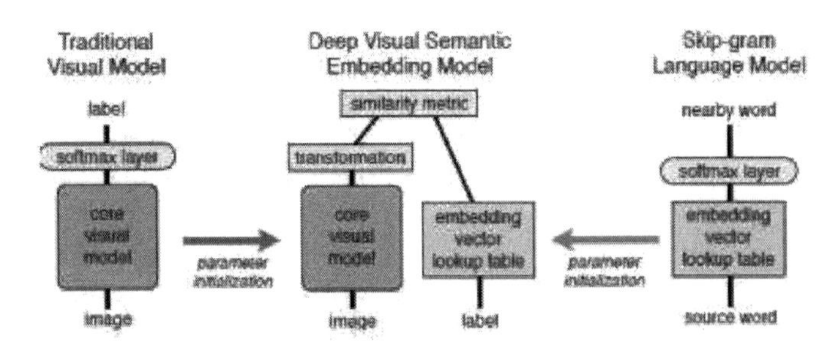

그림 8.1: 멀티모달 개발 아키텍처의 구조도. 왼쪽 부분은 SoftMax 출력 레이어(SoftMax Output Layer)를 포함하는 이미지 인식 신경망을 나타냄. 오른쪽 부분은 단어 임베딩 벡터(Word Embedding Vectors)를 생성하는 스킵그램(Skip-gram) 텍스트 모델을 보여줌. 중앙에는 이미지와 단어 임베딩 모델에 의해 초기화된 두 개의 샴(Siamese) 분기가 있는 공동 심층 이미지-텍스트 모델이 위치함. '변환'(Transformation)이라는 레이블이 붙은 레이어는 이미지(왼쪽)와 텍스트(오른쪽) 분기의 출력을 동일한 의미 공간으로 매핑하는 역할을 담당함. 출처: 딥러닝: 방법과 응용, 2023

그림 8.1에 표시된 DeViSE 장치의 아키텍처와 같은 그림에 표시된 DSSM 장치의 아키텍처를 비교하고 대조하는 것도 교육용으로 활용할 수 있는 또 다른 방법입니다. DeViSE와 DSSM 아키텍처의 비교는 교육적으로 유용할 수 있습니다. DeViSE의 '이미지' 및 '텍스트-라벨' 노드는 DSSM의 '쿼리'(Query) 및 '문서'(Document) 노드와 유사합니다. 두 시스템 모두 엔드투엔드

학습 방식에서 코사인 거리(Cosine Distance)와 연결된 목적 함수(Objective Function)를 사용하여 네트워크 가중치를 학습합니다. DSSM의 '쿼리'와 '문서' 입력은 모두 텍스트 기반으로, 이는 한 모달(예: 이미지)에서 다른 모달(예: 텍스트)로 매핑하는 것보다 이론적으로 더 간단할 수 있음을 의미합니다.

DeViSE는 비지도 텍스트 소스에 대한 텍스트 임베딩 벡터를 계산함으로써 이전에 보지 못한 이미지 클래스로 일반화할 수 있습니다. 이러한 벡터는 발견되지 않은 이미지 클래스에 해당하는 텍스트 레이블을 포함합니다. DSSM의 경우, 단어를 구성하는 문자를 사용하여 단어를 설명하는 독특한 코딩 메커니즘은 이전에 접해보지 못한 구문을 일반화할 수 있게 해줍니다. DeViSE 아키텍처는 시각적 요소를 의미 공간으로 매핑하기 위해 고안되었으며, 텍스트 레이블과 이미지에 대한 볼록한 임베딩 벡터(Convex Embedding Vectors)의 조합을 사용합니다.

DeViSE 처리 후, CNN 이미지 분류기는 기존의 SoftMax 레이어를 선형 변환 레이어(Linear Transformation Layer)로 대체합니다. 이후 단계에서는 CNN의 하위 레이어와 새로 추가된 변환 레이어를 동시에 훈련합니다. 이 접근 방식은 SoftMax 분류기의 출력을 의미 공간에 임베딩하기 전에 결정론적 변환을 거치게 합니다.

ImageNet 제로샷 학습 챌린지에서 이 멀티모달 학습 방식은 우수한 성능을 보였습니다. 멀티모달 임베딩은 다양한 소스에서 얻은 텍스트 및 시각 정보를 표준 벡터 공간으로 매핑하는 방식입니다. Socher 등은 텍스트와 이미지를 동일한 수평면에 정렬하기 위해 커널화된 표준 상관관계 분석(Kernelized Canonical Correlation Analysis)을 사용합니다. DeViSE를 사용하여 이미지를 단일 단어 벡터에 매핑할 수 있으며, 이 방법은 클래스가 제공되지 않은 경우에도 이미지 분류를 가능하게 합니다.

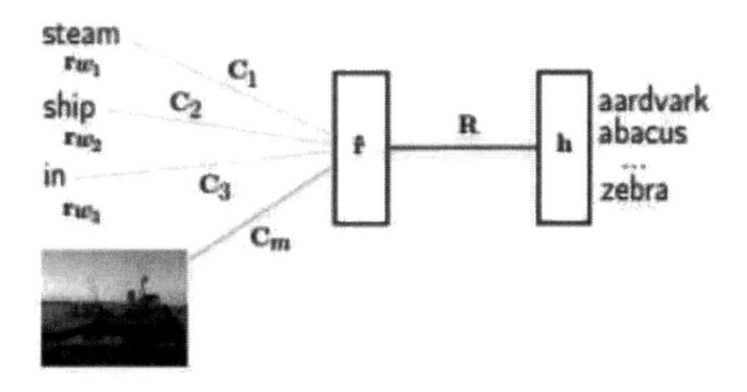

그림 8.2: 멀티 모달 디벨롭먼트 아키텍처의 그림. 왼쪽 부분은 SoftMax 출력 레이어가 있는 이미지 인식 신경망임. 오른쪽 부분은 단어 임베딩 벡터를 제공하는 스킵그램 텍스트 모델임. 가운데는 Devise의 공동 심층 이미지-텍스트 모델이며, 두 개의 샴(Siamese) 분기는 SoftMax 레이어 아래에 있는 이미지 및 단어 임베딩 모델에 의해 초기화됨 레이어 "변환"이라는 레이블은 이미지(왼쪽)와 텍스트(오른쪽) 분기의 출력을 동일한 의미 공간에 매핑하는 역할을 함.
출처: 딥러닝: 방법과 응용, 2023

8.3 멀티 모달리티: 음성 및 이미지

심층 신경망을 사용하여 오디오/음성 및 이미지/비디오 모달리티의 특징을 학습한 후, 그 성능을 평가합니다. 교차 모달리티 특징 학습(Cross-Modality Feature Learning)은 여러 모달리티(예: 음성 및 영상)가 존재할 때 한 모달리티(예: 이미지)에 대해 강력한 특징을 학습하는 것을 의미합니다. 그림 8.3은 오디오/음성 및 비디오/이미지 데이터에 대해 서로 다른 입력 채널을 사용하는 이중 모달 딥 오토인코더(Dual-Modal Deep Autoencoder) 아키텍처를 보여줍니다. 이 설계의 핵심은 서로 다른 두 모달리티를 표현하기 위해 공통 중간 계층을 사용하는 것입니다. 이 아키텍처는 음성용 단일 모달 딥 오토인코더(Single-Modal Deep Autoencoder)를 바이모달(Bi-Modal)로 일반화하는 데 유용합니다.

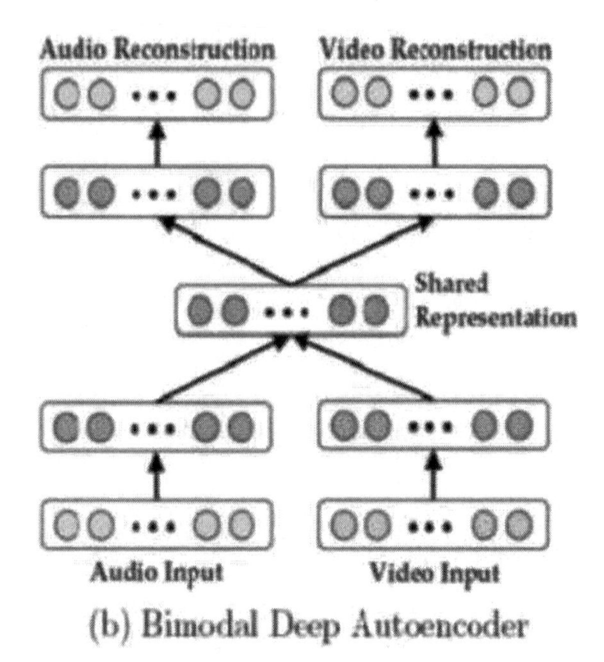

그림 8.3: 멀티모달 오디오/음성 및 시각적 특징을 위한 딥 디노이즈 오토인코더(Deep Denoise Autoencoder)의 아키텍처.
출처: 딥러닝 방법과 응용, 2023

이 연구는 오디오와 비디오 데이터를 사용하여 분류기를 훈련하고 테스트하는 방법을 탐구합니다. 연구 결과는 딥러닝 아키텍처가 레이블이 없는 데이터에서 멀티모달 특징을 학습하고 모달 간 정보를 전송하여 단일 모달 특징을 향상시키는 데 성공적임을 보여줍니다. CUAVE 데이터 세트를 사용한 크로스 모달리티 시나리오에서 주목할 만한 성과를 달성했습니다. 연구 결과는 오디오 데이터를 포함하는 시각 데이터 학습 과정이 성능을 향상시킨다는 것을 보여줍니다. 이 모델은 시각적 특징 추출을 위한 신호 처리 기술과 음성 인식을 위한 불확실성 보정 기술을 결합하여 크로스 모달 학습 작업에서 최고의 분류 정확도를 달성합니다.

이 모델은 두 가지 유형의 정보를 결합하여 크로스 모달 학습 작업에서 최상의 결과를 얻습니다. 딥 볼츠만 머신(DBM)에 기반한 확률적 멀티모달 애플리케이션은 다양한 모달리티를 단일 표현으로 병합하고 분류 및 검색 활동에 사용됩니다. 이 모델은 멀티모달 입력의 공동 공간에서 확률 밀도를 구축하고, 잠재 변수의 상태를 표현에 사용합니다. 이는 딥 오토인코더의 '병목' 레이어와는 다른 접근 방식입니다. 일반화된 노이즈 제거 오토인코더는 누락된 모달리티 정보를 샘플링하여 보완할 수 있습니다. 멀티모달 DBM은 기존의 딥 멀티모달 오토인코더 및 멀티모달 DBN보다 우수한 성능을 보입니다.

이 장에서 살펴본 모든 멀티태스크 처리 및 학습 아키텍처는 전이 학습(Transfer Learning)과 멀티태스크 학습(Multi-Task Learning)이라는 보다 일반적인 개념을 구체화합니다. 전이 학습은 새로운 능력을 습득하고 다양한 환경에서 사용할 수 있는 능력을 의미하며, 멀티태스크 학습은 공유된 잠재적 설명 특성을 활용하는 학습 아키텍처 및 접근 방식을 설명합니다.

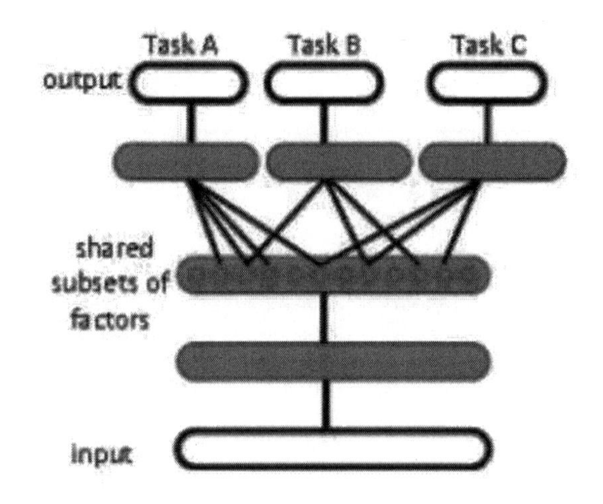

그림 8.4: 세 가지 작업 A, B, C 간에 공유되는 숨겨진 설명 요인을 발견하는 것을 목표로 하는 멀티태스크 학습을 위한 딥 뉴럴 네트워크(DNN) 아키텍처.
출처: 딥러닝 방법과 응용, 2023

이 아키텍처는 다양한 종류의 입력 데이터 세트 간에 속성을 공유함으로써 서로 관련 없어 보이는 학습 프로세스 간에 지식을 전달할 수 있습니다. 그림 8.4는 이러한 학습 아키텍처를 보여주며, 관련 학습 알고리즘도 이러한 작업을 완료하는 데 유용함이 입증되었습니다. 이러한 기법은 특정 작업에만 중요한 특정 기본 측면을 포착하는 표현을 학습합니다.

8.4 음성, 자연어 처리(NLP), 또는 이미지 도메인 내 멀티태스크 학습

다국어 또는 다중 언어 음성 인식은 음성 도메인 내에서 멀티태스크 학습의 흥미로운 응용 분야입니다. 여러 언어에 대한 음성 인식은 별도의 작업으로 간주됩니다. 음성 인식을 위한 음향 모델링은 다양한 방법으로 접근되어 왔습니다. 전 세계 모든 언어에 대한 음성 인식 시스템을 구축하는 과정에서는 전사된 음성 데이터가 부족한 경제적 문제가 있습니다. 가우시안 혼합 모델-은닉 마르코프 모델(GMM-HMM)은 데이터 가중치 적용과 언어 간 데이터 공유를 활용하는데, 이는 유용한 기술입니다. GMM-HMM에 효과적인 것으로 입증된 또 다른 방법은 언어 간 발음 단위 매핑입니다.

그러나 딥 뉴럴 네트워크-은닉 마르코프 모델(DNN-HMM) 기법이 더 우수합니다. 최근 두 개의 다른 연구 그룹에서 다국어 음성 인식을 위한 멀티태스크 학습 기능을 갖춘 유사한 DNN 아키텍처를 독립적으로 구축했습니다. 이 아키텍처는 DNN의 숨겨진 레이어를 학습한 후 시스템이 더 정확해지는 것을 목표로 합니다.

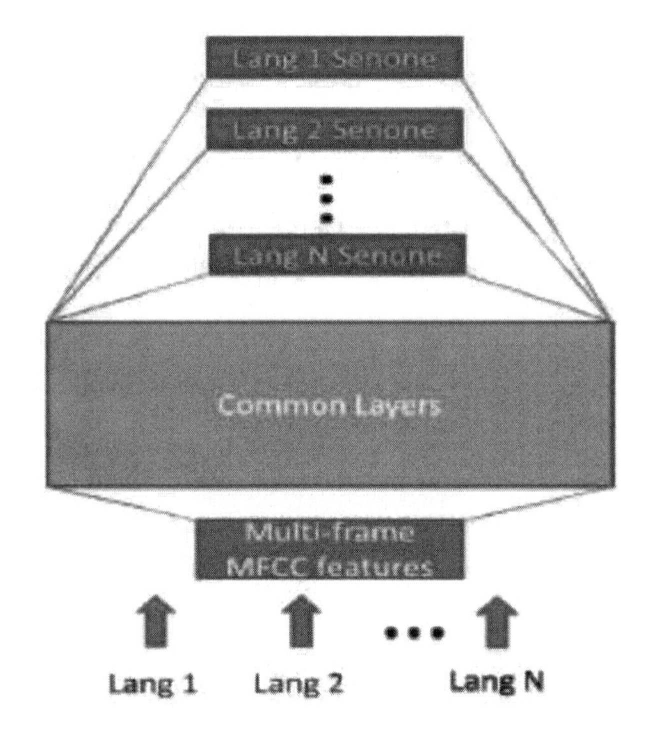

그림 8.5: 다국어 음성 인식을 위한 DNN 아키텍처.
출처: 딥러닝의 방법과 응용, 2023

이 아키텍처는 여러 언어의 청각 데이터에서 유사한 숨겨진 요소를 공유하는 복잡한 기능 수정으로 작동합니다. 마지막 SoftMax 계층은 가장 깊은 숨겨진 계층에서 표현되는 특징 벡터를 사용합니다. 이 특징 벡터는 가장 추상적입니다. 로그 선형 분류기는 각 언어에 대해 처음부터 다시 구축해야 하지만, 특징 변환은 여러 언어에 걸쳐 재사용할 수 있습니다.

다국어 음성 인식에 대한 연구 결과는 GMM 및 HMM 기반 기술을 사용한 결과보다 크게 개선된 것으로 나타났습니다. 이 연구 결과는 기존의 다국어 DNN으로 시작하여 새로운 언어에 대해 고성능을 발휘할 수 있는 DNN 기반 시스템을 빠르게 개발할 수 있음을 나타냅니다.

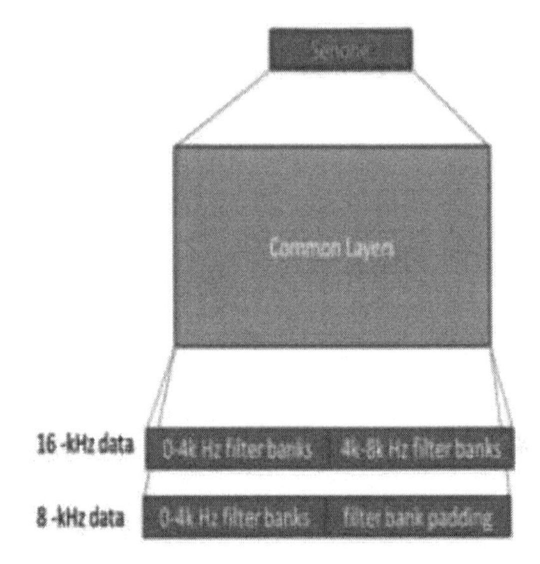

그림 8.6: 16Khz 및 8Khz 샘플링 속도의
혼합 대역폭 음향 데이터로 훈련된 음성 인식을
위한 DNN 아키텍처.
출처: 딥러닝의 방법과 응용, 2023

DNN 위에 SoftMax 레이어를 추가하여 지원 언어 수를 늘릴 수 있습니다. 최근에는 다른 음향 모델링 문제에 멀티태스킹 학습이 가능한 DNN 아키텍처를 사용하는 시도가 있었습니다. 그림 8.6은 이러한 시도에 사용된 아키텍처를 보여줍니다. 가장 어려운 부분은 두 개의 서로 다른 음향 데이터 세트에 대한 복합 표현을 학습하는 것입니다. 스마트폰에서 16kHz의 샘플 속도로 얻은 음성 데이터는 광대역 및 고품질 음성 데이터 수집에 포함됩니다. 협대역 데이터 세트는 전화기의 음성 인식 알고리즘을 사용하여 얻은 것으로, 샘플 속도가 8kHz로 낮습니다.

8.5 비지도 또는 생성 기능 학습

비지도 학습 알고리즘은 레이블이 지정된 데이터가 적은 경우에도 효과적인 시각적 특징 계층을 획득할 수 있습니다. 2012년 ImageNet 대회에서 지도 학습이 적용된 CNN 아키텍처의 놀라운 결과가 공개되기 전에는 컴퓨터 비전에 딥 러닝을 도입하기 위해 수행된 대부분의 작업이 비지도 특징 학습에 집중되었습니다. MNIST 이미지 인식 및 차원 축소 작업에서 DBN 사전 학습을 활용하는 힌튼의 비지도 딥 오토인코더는 훈련 세트에 단 6만 개의 샘플만으로 성공을 거두었습니다.

이 논문에서는 DBN 기반 자동 인코더를 사용한 이미지 데이터에서 코딩 효율의 증가가 기존의 벡터 양자화 기법을 사용한 음성 데이터에서 설명한 이득과 유사하다는 점이 흥미롭습니다. Nair와 저는 3차 볼츠만 기계를 최상위 계층의 모델로 활용하는 DBN의 대안 버전을 고안했습니다. NORB 데이터베이스에서

3D 객체를 식별할 때 이러한 종류의 DBN을 위한 한 애플리케이션은 기록된 오류율이 이 과제를 위해 발표된 최상의 결과와 상당히 근접합니다.

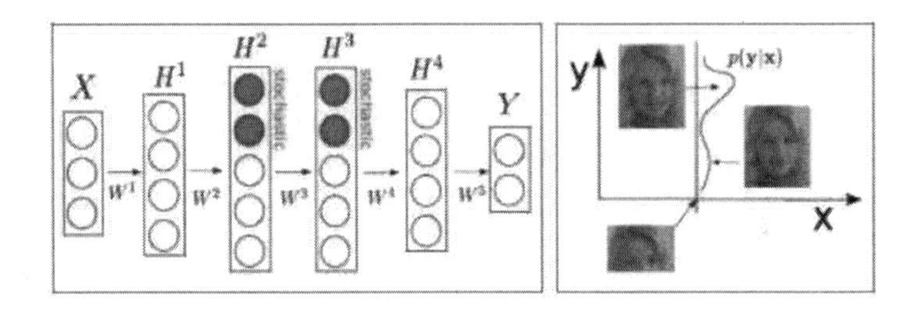

그림 8.7: 왼쪽: 4개의 숨겨진 레이어가 있는 확률적 피드 포워드 신경망의 일반적인 아키텍처. 오른쪽: 네트워크가 두 가지 뚜렷한 모드를 가진 분포를 생성하고 이를 사용하여 중립 얼굴 X가 주어졌을 때 두 가지 이상의 서로 다른 얼굴 표정 Y를 표현하는 방법을 보여주는 그림.
출처: 딥러닝의 방법과 응용, 2023

이 네트워크는 얼굴 표정 데이터 세트를 분석하는 데 사용되었습니다. 기존의 결정론적 신경망으로는 이러한 작업을 수행할 수 없습니다. 무작위 입력을 사용하는 피드 포워드 신경망의 구조는 다양한 얼굴 표정을 생성하고 분류하는 데 사용됩니다. 이 모델은 인터넷에서 가져온 천만 장의 사진으로 구성된 데이터 세트로 훈련되었으며, 총 10억 개의 연결이 있습니다. 이 시스템은 비지도 기능 학습을 활용하여 사용자의 참여 없이도 얼굴 감지기를 교육할 수 있습니다. 또한, 이 시스템은 다양한 공격에 대한 복원력이 뛰어납니다.

딥 스파스 코딩은 컴퓨터 비전을 위한 비지도 심층 특징 학습에서 잘 알려진 또 다른 학파의 토대입니다. 이 학파는 이미지넷 객체 인식 작업에서 최첨단 정확도 점수를 달성하여 현재까지 가장 성공적인 딥 러닝 모델 중 하나가 되었습니다.

8.6 지도형 특징 학습 및 분류

컨볼루션 신경망(Convolutional Neural Networks, CNN)의 개발은 1990년대 초에 시작되었습니다. 이 네트워크에서 딥 러닝이 물체 식별 문제에 적용되었으며, 이 문서에서는 이 주제에 대해 더 자세히 살펴보고 자세한 내용을 제공합니다. 2012년 10월 ImageNet 경진대회 결과가 공개된 이후(ImageNet Challenge 2012), 컴퓨터 비전 커뮤니티는 지도 학습 모드의 CNN 기반 아키텍처에 대해 상당한 관심을 보였습니다. 이러한 발전은 고성능 컴퓨팅 플랫폼, 예를 들어 GPU에서 대규모 CNN을 효과적으로 훈련하기 위해 방대한 양의 레이블이 지정된 데이터를 즉시 사용할 수 있게 되었기 때문일 수 있습니다. 카테고리 수준의 객체 인식, 객체 감지, 의미론적 세분화와 같은 작업에 CNN 기반 딥러닝을 사용하면 다양한 컴퓨터 비전 벤치마크에서 유사한 결과가 보고되었습니다.

음성 인식 분야에서도 비슷한 패턴의 결과가 관찰되었습니다. 전화 인식, 대어휘 음성 인식, 잡음에 강한 음성 인식, 다국어 음성 인식 등 다양한 벤치마크 작업에서 딥 뉴럴 네트워크(Deep Neural Networks, DNN) 기반 딥러닝이 이전의 최신 기술을 능가하는 성능을 보였습니다. 그림 8.8은 CNN을 구성하는 기본 구성 요소를 보여줍니다. CNN은 로컬 수신 필드와 연결된 필터 가중치가 있는 컨볼루션 계층을 사용하여 이미지 픽셀에 존재하는 공간 연결의 상대적 불변성을 통합합니다. 이는 이미지 처리에서 2차원 유한 임펄스 응답(Finite Impulse Response, FIR) 필터가 작동하는 방식과 유사합니다. FIR 필터의 출력은 비선형 활성화 맵을 구축하는 데 사용되며, 이후 비선형 필터를 사용하여 데이터 속도를 낮춥니다.

풀링 레이어는 그림 8.8에서 '서브샘플링'으로 지정되어 있습니다. 이 계층은 데이터 전송률의 감소에도 불구하고 입력 이미지의 작은 변화에 대해 불변성을 유지합니다. 이전 장에서 설명한 DNN과 유사한 방식으로 풀링 계층의 출력은 이미 완전한 연결성을 갖춘 다른 여러 계층으로 전송됩니다. 학술적 글쓰기 영역에서는 이 구조를 '딥 CNN'이라고 부릅니다. 1990년대부터 컴퓨터 비전과 이미지 인식 분야에서는 CNN을 사용하는 '딥 모델'을 성공적으로 활용하고 있습니다. 가장 주목할 만한 혁신은 2012년에 열린 ImageNet Large Scale Visual Recognition Challenge(LSVRC) 대회에서 이루어졌습니다.

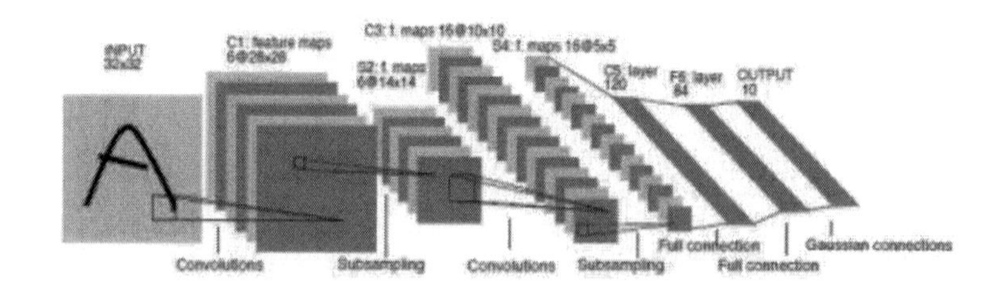

그림 8.8: 여러 개의 교대 컨볼루션 및 풀링 레이어와 완전히 연결된 레이어로 구성된 최초의 컨볼루션 신경망.
출처: 딥 러닝의 방법과 응용, 2023

이 연구의 목적은 120만 장의 고해상도 이미지를 훈련 데이터로 사용하여 이전에 본 이미지를 수천 개의 카테고리 중 하나로 분류하는 모델을 훈련하는 것입니다. 설명한 딥 CNN 접근 방식은 15만 장의 이미지로 구성된 테스트 세트에서 관찰된 오류율을 현저히 감소시켰습니다. 매우 크고 널리 사용되는 심층 컨볼루션 신경망(Deep Convolutional Neural Network, CNN)은 일반적으로 6천만 개의 가중치, 65만 개의 뉴런, 5개의 컨볼루션 레이어 및 최대 풀링 레이어로 구성됩니다. 이러한 네트워크의 구성에는 총 5개의 레벨이 포함됩니다. CNN 레이어 위에 DNN에서 사용하는 것과 유사한 두 개의 완전 연결 레이어가 추가로 활용됩니다. 이러한 각 구조는 독립적으로 구축되었지만, 의도한 결과를 얻으려면 이 모든 구조를 결합하는 것이 가장 효과적입니다. 그림 8.8은 딥 CNN 시스템의 고수준 설계를 보여 줍니다.

이 목표를 달성하는 데 기여하는 두 가지 측면이 더 있습니다. 첫 번째 방법은 드롭아웃(Dropout)이라고 하며, 매우 효과적인 정규화 방법입니다. 자세한 내용은 해당 연구에서 확인할 수 있으며, 다른 여러 연구와 업그레이드를 통해 드롭아웃의 얽힘 해소 효과를 평가하고 다양한 구성원이 매개 변수를 공유하기 때문에 도움이 된다는 것을 입증했습니다. '드롭아웃' 접근 방식이 효과적인 것으로 나타난 애플리케이션 중 하나는 음성 인식 분야입니다. 비포화 뉴런 또는 정류된 선형 단위(Rectified Linear Units, ReLU)를 활용하여 f(x) = max(x, 0)을 계산하는 것이 두 번째 구성 요소입니다. 이 구성 요소를 효과적인 GPU 구현과 결합하면 훈련에 필요한 시간을 크게 줄일 수 있습니다. 이 딥-CNN 시스템은 2011년 가을 릴리스의 추가 훈련 데이터를 활용하면서 15.3%의 테스트 오류율을 기록했지만, ImageNet-2012에서 제공된 훈련 데이터만 사용했을 때는 16.4%의 테스트 오류율을 달성했습니다.

2013년에는 이와 유사하지만 더 큰 모델과 더 많은 양의 학습 데이터를 사용하는 접근 방식을 사용하여 이 최첨단 성능을 큰 폭으로 개선했습니다. 이러한 성능은 이전에는 딥 CNN 방식을 사용하여 달성했습니다. 이 목표를 달성하기 위해 심층 CNN 접근 방식이 활용되었습니다. 그림 8.9는 2013년 ImageNet ILSVRC 대회에서 상위 5개 팀이 달성한 테스트 오류율을 간결하게 요약한 것입니다. 비교를 위해 2012년 대회에서 달성한 최고 점수를 맨 오른쪽에서 확인할 수 있습니다. 2012년 이전에 기록된 가장 낮은 오류율인 26.2%(비신경망)에 비해 딥-CNN 기술은 2012년에는 15.3%, 2013년에는 11.2%의 오류율을 줄임으로써 동일한 테스트에서 실수하는 횟수가 급격히 감소한 것을 알 수 있습니다. 또한 2013년 ImageNet ILSVRC 대회에 출품된 모든 주요 출품작은 딥러닝 알고리즘을 기반으로 구축되었습니다. 이러한 발견을 통해 많은 흥미로운 정보가 밝혀졌습니다. 그림 8.9는 Adobe 시스템으로, 그림에 표시된 deep-CNN에서 발전하여 드롭아웃을 추가로 활용합니다. 이 시스템은 다음에서 찾을 수 있습니다. 시스템 자체는 더 많은 수의 연결과 필터가 있도록 구조가 변경되었습니다. 평가 시 원본 이미지의 9가지 자르기가 생성되며, 각 자르기는 이미지의 인식된 중요도에 따라 결정됩니다. 일반적으로 통합되는 5가지 멀티뷰 자르기 외에 추가로 제공되는 9가지 자르기도 통합되었습니다. NUS 시스템은 비파라미터 방식과 적응형 방식을 모두 사용합니다. 그런 다음 여러 얕은 전문가와 깊은 전문가의 결과를 통합합니다. 깊은 전문가에는 CNN, 커널, GMM이 모두 포함됩니다. 이 방법을 구현하면 예측의 품질이 향상됩니다. 딥 피셔 벡터 네트워크와 딥 컨볼루션 신경망은 모두 VGG라고 하는 시스템에서 활용됩니다. ZF 시스템은 다양한 아키텍처 프레임워크와 함께 대규모 컨볼루션 신경망(CNN)을 기본 구성 요소로 사용하여 구축됩니다. 적절한 설계를 선택하는 과정을 용이하게 하기 위해 모델의 속성을 표시하는 데 컨볼루션 네트워크가 활용되었습니다.

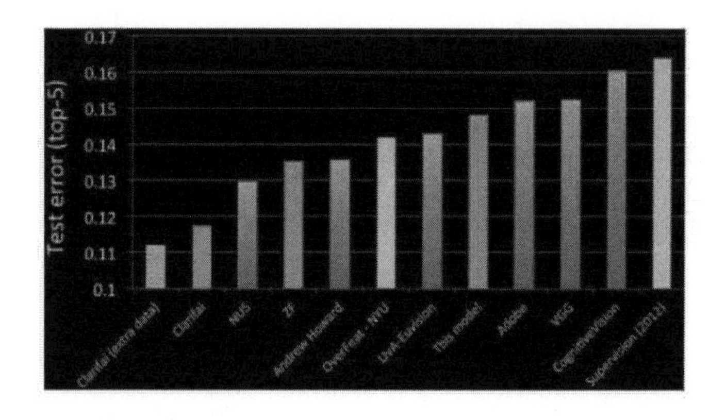

그림 8.9: 객체 인식 시스템의 최신 성능을 보여주는 ImageNet Large Scale Visual Recognition Challenge 2013(ILSVRC2013)의 요약 결과.
출처: 딥러닝의 방법과 응용, 2013

심층 신경망(Deep Neural Networks, DNN)은 코그너티브 비전 시스템에서 사용하는 라벨링 방법론의 기반이 됩니다. 이 기술은 인간의 시각 시스템이 세분화된 물체 식별을 위해 기본 및 하위 수준에서 카테고리를 분류하는 방법을 학습하는 인지심리물리학의 영향을 받았습니다. 결론적으로, 가장 성공적인 시스템은 드롭아웃 정규화를 활용하고 크고 깊은 컨볼루션 신경망(CNN)을 기반으로 구축된 Clarifai입니다.

훈련에 사용할 수 있는 전체 데이터 양을 최대한 활용하기 위해 이미지 크기가 256픽셀로 축소됩니다. 무려 65,000,000개의 내부 시스템 설정을 사용자 정의할 수 있습니다. 유사한 여러 모델의 결과를 취해 평균을 내는 방식으로 시스템의 성능을 더욱 향상시켰습니다. 이 연구에서 가장 획기적인 부분은 설명한 바와 같이 디컨볼루션 네트워크를 기반으로 한 시각화 방법의 구현입니다. 이 전략의 목표는 딥 모델의 어떤 측면이 뛰어난 성능의 원인이 되는지 파악하는 것입니다. 이러한 우려를 고려하여 강력하고 심층적인 아키텍처가 최선의 선택으로 선택되었습니다. 이러한 구성에 대한 자세한 정보는 여기에서 확인할 수 있습니다. 흔히 CNN으로 알려진 심층 컨볼루션 신경망은 객체 식별 작업에 사용될 때 뛰어난 분류 성능을 보여 왔지만, 이러한 성공의 배경은 최근까지 알려지지 않았습니다.

딥 CNN에 대한 접근이 가능해진 지 꽤 오래되었음에도 불구하고 이러한 현상은 계속되고 있습니다. 이 문제에 대한 해답을 찾기 위해 자일러와 퍼거스는 연구를 수행했습니다. 그림 8.10에서 "ZF"와 "Clarifai"로 표시된 것은 이들이 새로 발견한 지식을 활용하여 어떻게 CNN 시스템을 구축했고, 그 결과 정확도와 속도 모두에서 획기적인 향상을 이끌어냈는지 보여줍니다. 딥 CNN의 중간 특징 레이어가 전체 시스템에서 수행하는 역할에 대한 이해를 돕기 위해 완전히 새로운 시각화 방법이 고안되었습니다. 분류자로 사용할 경우, 이 접근 방식은 네트워크의 내부 작동을 드러낼 뿐만 아니라 네트워크에 대한 새로운 인사이트를 제공합니다.

시각화 방법은 입력 픽셀 공간에서 초기 컨볼루션 네트워크의 중간 레이어를 재구성하는 컨볼루션 네트워크를 기반으로 합니다. 이를 통해 해당 위치에서 발생한 신경 과정의 결과를 확인할 수 있습니다. 이를 통해 특징 맵에서 특정 활성화를 처음 유발한 입력 패턴의 유형을 조사할 수 있습니다. 그림 8.10의 위쪽 섹션을 보면 컨볼루션 네트워크가 각 레이어에 어떻게 연결되는지 알 수 있습니다. 이렇게 하면 첫 번째 CNN의 입력으로 사용된 초기 이미지 픽셀로 돌아가는 전체 루프가 생성됩니다. 이것이 그림의 아래쪽 섹션에 표시됩니다. 다음은 이 폐쇄 루프 내부에서 통신이 어떻게 이루어지는지에 대한 설명입니다. 심층 CNN의 각 레이어에서 특징을 계산하려면 먼저 입력 이미지의 피드 포워드 프레젠테이션을 생성해야 합니다.

이를 통해 특징이 순차적으로 네트워크를 통해 전송될 수 있습니다. 연결된 컨볼루션 네트워크의 레이어에 특징 맵을 입력하면 다음과 같이 됩니다.

특정 CNN 활성화를 조사할 수 있습니다. 동시에 레이어의 다른 모든 활성화가 0으로 설정되어 있는지 확인합니다. 그 다음 단계에는 머티리얼 언스풀링, 보정, 필터링 등이 포함됩니다. 이러한 작업의 완료는 CNN에서 피드 포워드 계산이 완료되는 방식과 유사한 방식으로 이루어집니다. 따라서 선택한 활성화 아래에 있는 레이어, 즉 처음에 활성화의 원인이었던 레이어를 다시 구축할 수 있습니다. 이 프로세스는 입력 레이어로 진행하기 전에 여러 번 수행해야 합니다. 풀링이 해제된 후에도 CNN의 최대 풀링 메커니즘은 원래 상태를 유지하므로 반전할 수 없습니다.

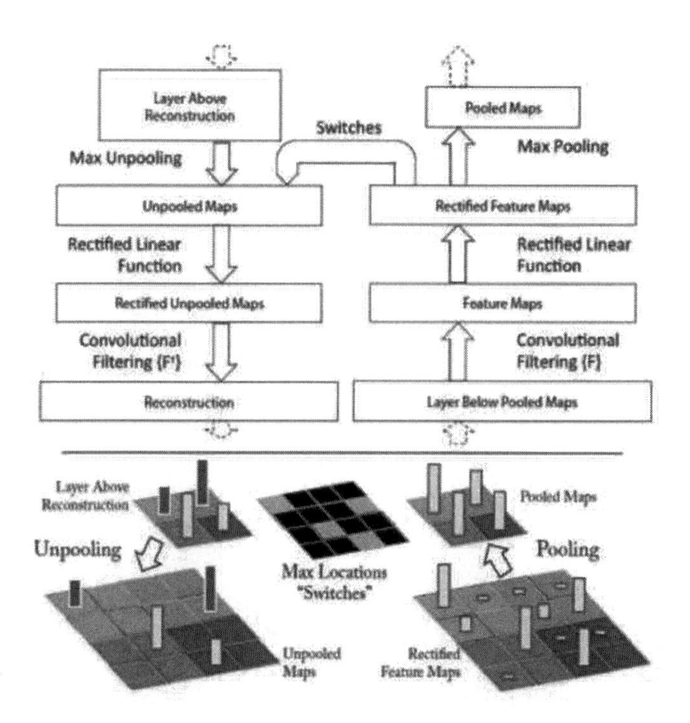

그림 8.10: 맨 위 부분은 컨볼루션 네트워크의 레이어(왼쪽)가 해당 CNN의 레이어(오른쪽)에 어떻게 연결되는지 보여줌. 디컨볼루션 네트워크는 아래 레이어에서 CNN 특징의 대략적인 버전을 재구성함. 아래쪽 부분은 CNN에서 풀링하는 동안 각 풀링 영역에서 로컬 최대값의 위치를 기록하기 위해 "스위치"가 사용되는 디컨볼루션 네트워크에서의 풀링 해제 작업임.
출처: 딥 러닝의 방법과 응용, 2023

방금 설명한 심층 신경망(CNN) 접근 방식은 다양한 컴퓨터 비전 애플리케이션에서 매우 유용한 것으로 입증된 DNN 설계와 많은 공통점이 있습니다. 기존의 연구 문헌에는 CNN과 DNN, 또는 CNN과 DNN과 동일한 작업을 수행하는 다른 유사한 아키텍처를 직접적으로 비교한 자료는 없습니다. 저희는 이와 관련이 있을 수 있는 모든 것을 주시하고 있습니다. 마지막으로, 컴퓨터 비전을 위한 지도 학습에 관한 가장 최근의 연구에 따르면 딥 CNN 아키텍처가 객체/이미지 분류(이 글에서 이전에 논의한 주제)와 전체 이미지에서 객체 감지에 효과적이라는 것이 입증되었습니다. 이러한 발견은 컨볼루션 신경망을 사용함으로써 가능했습니다. 지도 학습과 컴퓨터라는 주제에 대한 가장 최근의 연구는 이러한 결론에 도달했습니다.

탐지 문제의 난이도는 분류 문제의 난이도보다 훨씬 높습니다. 이 장에서도 다루고 있는 음성 인식에서 성공을 거둔 딥러닝은 컴퓨터 비전에서도 유망한 결과를 보여주었습니다. 이러한 결과는 딥러닝이 음성 인식에서 거둔 초기 성과에 이어 나온 것입니다. 2012년과 2013년에 열린 ImageNet 대회의 결과는 딥 CNN 아키텍처를 기반으로 하는 지도 학습 패러다임이 현재 가장 큰 영향력을 발휘하고 있음을 보여줍니다. 이러한 성과는 이와 관련된 많은 분류 기법들의 도움도 받았습니다. 물체 식별 및 기타 다양한 컴퓨터 비전 애플리케이션은 딥러닝이 활용될 수 있는 많은 분야 중 두 가지입니다.

이러한 CNN 기반 딥러닝 시스템은 많은 논쟁의 대상이 되어 왔으며, 이러한 논쟁의 대부분은 장점과 단점 모두에 초점을 맞추고 있습니다. 다양한 컴퓨터 비전 애플리케이션에 대한 잠재적 적응성을 둘러싼 우려는 다음과 같습니다.

모델과 학습 데이터의 확장성 문제는 아직까지 만족스럽게 해결되지 않았습니다. 이 장의 앞부분에서는 컴퓨터 비전과 이미지 모델링 문제에 딥러닝의 비지도 및 생성 기법을 다양하게 적용하는 방법을 살펴보았습니다.

맺음말

이 책을 통해 우리는 딥 러닝이 음성 인식 분야에 가져온 혁신적인 변화와 그 잠재력을 탐구했습니다. 딥 러닝은 단순히 새로운 기술이 아니라, 음성 인식과 오디오 처리의 패러다임을 근본적으로 바꾸는 도구로 자리 잡았습니다. 이 변화는 음성 인식의 정확도를 크게 향상시키고, 새로운 응용 분야를 개척하는 데 중요한 역할을 했습니다.

DNN-HMM 아키텍처의 도입은 음성 인식 분야에서 중대한 전환점이었습니다. 이 아키텍처는 전통적인 GMM-HMM 시스템을 능가하는 성능을 보여주었으며, 특히 복잡한 어휘와 다양한 환경에서의 음성 인식에 있어 뛰어난 결과를 제공했습니다. DNN의 능력은 원시 음성 데이터에서 직접 특징을 추출하고, 이를 통해 보다 정교한 음성 인식 모델을 구축하는 데 중요한 역할을 했습니다.

이 책에서 우리는 또한 DNN 기반의 다양한 접근 방식과 그 응용에 대해 살펴보았습니다. 탠덤 방식과 병목 특성을 활용한 접근법은 기존 GMM-HMM 시스템과 DNN의 장점을 결합하여 음성 인식의 정확도를 더욱 향상시켰습니다. 이러한 방법들은 DNN이 제공하는 풍부한 정보를 활용하여 음성 인식의 성능을 극대화하는 데 중요한 역할을 했습니다.

그러나 이러한 발전에도 불구하고, 여전히 극복해야 할 도전과제들이 존재합니다. 음성 인식 시스템은 다양한 환경과 방언, 소음 등에 대한 적응력을 더욱 강화해야 합니다. 또한, 대규모 데이터 세트를 효율적으로 처리하고, 실시간 음성 인식 시스템의 요구 사항을 충족시키는 것도 중요한 과제입니다.

앞으로의 연구 방향은 더욱 정교한 딥 러닝 모델을 개발하고, 음성 인식 시스템의 범용성을 높이는 데 초점을 맞출 것입니다. 이는 음성 인식 기술이 다양한 언어와 방언, 그리고 다양한 환경에서도 효과적으로 작동할 수 있도록 하는 것을 목표로 합니다. 또한, 음성 인식 시스템의 실시간 처리 능력을 향상시키고, 사용자 인터페이스와의 통합을 강화하는 것도 중요한 연구 주제가 될 것입니다.

딥 러닝과 음성 인식 기술의 결합은 이미 우리 생활에 큰 영향을 미쳤으며, 앞으로도 계속해서 우리의 일상과 산업에 혁신을 가져올 것입니다. 음성 인식 기술의 발전은 스마트폰, 가상 비서, 자동차 내 시스템, 의료 분야 등 다양한 분야에서 새로운 가능성을 열어주고 있습니다. 이러한 기술의 발전은 사용자 경험을 향상시키고, 새로운 서비스와 제품을 창출하는 데 기여할 것입니다.

마지막으로, 이 책을 통해 독자들이 딥 러닝과 음성 인식 기술의 현재 상태와 미래의 가능성에 대해 더 깊이 이해하게 되기를 바랍니다. 딥 러닝은 음성 인식 분야뿐만 아니라 다양한 분야에서 혁신적인 변화를 가져오고 있으며, 이러한 변화는 우리의 삶을 더욱 풍요롭고 편리하게 만들 것입니다. 딥 러닝과 음성 인식 기술의 미래는 밝으며, 이 분야의 지속적인 연구와 개발은 우리 모두에게 더 나은 미래를 약속합니다.